詠道堂

宋詞三百首

第二册

〔清〕上彊村民 編選

崇賢書院 釋譯

北京聯合出版公司

黃昇唐宋諸賢絶妙詞選：魯逸仲詞意婉麗似万俟雅言

沈際飛草堂詩餘：膽量意見文章悉無今古

魯逸仲

南浦

風悲畫角，聽《單于》、三弄落譙門。投宿駸駸征騎，飛雪滿孤村。酒市漸闌燈火，正敲窗、亂葉舞紛紛。送數聲驚雁，乍離煙水，嘹唳度寒雲。　好在半朧淡月，到如今、無處不消魂。故國梅花歸夢，愁損綠羅裙。爲問暗香閑艷，也相思、萬點付啼痕？算翠屏應是，兩眉餘恨倚黃昏。

詞解　此詞爲旅夜懷鄉之作。寒風中傳來悲涼的號角聲，詞人行至譙門前聽到《單于》曲已被吹奏了三遍，他於是騎馬疾行，在風雪之夜投宿到了孤村。酒市裏燈火漸漸零落，落葉在風中紛紛飛舞，敲打在窗戶上。受驚的大雁從水邊飛起，發出幾聲淒厲的啼鳴，悲啼聲傳入了寒雲之中。詞人以投宿孤村爲中心意象展現了譙門、酒市與水雲組合的郊野驛站的寒夜景象。

好在淡月依舊，皎潔的月光引發了詞人的思鄉之情，讓他黯然消魂。他懷念家鄉，想到家中穿著綠羅裙的妻子也因爲相思而憔悴。他看著凋落的梅花突發奇想：梅花大概也是因爲相思而飄謝的吧。他料想家中妻子一定是愁眉不展，在黃昏時倚翠屏而立。全詞寫景摹物，虛實相映，情景相生，前之孤村風雪，後之故國梅花，展現現實遊子與幻境佳人彼此相思的離愁別恨，冷艷而深婉。

岳飛

滿江紅

怒髮衝冠，憑闌處、瀟瀟雨歇。抬望眼、仰天長嘯，壯懷激烈。三十功名塵與土，八千里路雲和月。莫等閑、白了少年頭，空悲切。　靖康恥，猶未雪；臣子恨，何時滅？駕長車、踏破賀蘭山缺。壯志飢餐胡虜肉，笑談渴飲匈奴血。待從頭、收拾舊山河，朝天闕。

詞解　瀟瀟風雨初停，詞人登高憑欄，怒髮衝冠。極目遠眺，眼前的大好河山讓他想起國仇家恨，他熱血激蕩，不禁仰天長嘯。幾十年來他征戰南北，度過了多少祇有雲和月做伴的艱苦歲月，可是至今仍然神州未復，他努力追求的功名都付與塵土。儘管飽受挫折，詞人還是告誡自己：千萬不要虛度了年少光陰，等到老邁之時纔徒然哀歎青春已逝！

靖康之恥還沒有洗雪，臣子的仇恨何時纔能夠平息呢？詞人真想駕起長

黃蓼園蓼園詞選才甫爲南渡遺老有蓮社詞一卷詞多變徵此首尤清壯

陳廷焯詞則愈直接愈淒婉

車踏破賀蘭山的缺口，將金人一蕩而盡。在愛國壯志的激勵之下，無窮的困難他都可以克服，飢則食敵人的肉，渴則飲敵人的血，他一定要打敗敵人奪回失地！等到那時，重新收拾起舊日的山河，他再回到都城覲見君王，慶祝國家的勝利。如此耿耿忠心，難怪千百年來一直激發著人們的愛國豪情。

張掄

燭影搖紅・上元有懷

雙闕中天，鳳樓十二春寒淺。去年元夜奉宸遊，曾侍瑤池宴。玉殿珠簾盡捲，擁群仙、蓬壺閬苑。五雲深處，萬燭光中，揭天絲管。

馳隙流年，恍如一瞬星霜換。今宵誰念泣孤臣，回首長安遠。可是塵緣未斷？漫惆悵、華胥夢短。滿懷幽恨，數點寒燈，幾聲歸雁。

詞解　宮門兩旁高大的樓臺巍然聳立，宮內的樓閣籠罩著淡淡的春寒。去年元宵節時，詞人在汴京宮苑內奉侍皇帝遊賞，參與了宮廷中盛大的筵宴。玉殿上的珠簾高高捲起，衆臣雲集，猶如群仙會聚。宮苑深處，祥雲繚繞，萬盞燭光，燈火輝煌，絲管齊鳴，響入雲天。這是多麼繁華熱鬧、歌舞昇平的景象。

時光飛逝，轉眼之間便發生了翻天覆地的巨變。南渡以後，詞人衹能回憶故國的盛況，今日的上元節誰又會想起他這孤獨的老臣呢？他衹能暗自飲泣。他不能忘懷國事，但汴京城往日繁榮已經煙消雲散了，他看著幾點寒燈，聽著幾聲孤雁的哀鳴，心中充滿了悵恨。全詞將今昔盛衰哀樂作了對比，情景跌宕，構思巧妙，抒發了身世之悲與家國之恨。

程垓

水龍吟

夜來風雨匆匆，故園定是花無幾。愁多怨極，等閑孤負，一年芳意。柳睏桃慵，杏青梅小，對人容易。算好春長在，好花長見，原衹是、人憔悴。

回首池南舊事，恨星星、不堪重記。如今但有，看花老眼，傷時清淚。不怕逢花瘦，衹愁怕、老來風味。待繁紅亂處，留雲借月，也須拚醉。

詞解　夜裏風雨匆匆，故園裏的花一定已所剩無幾。詞人滿懷愁怨，無心賞花，白白辜負了一年的春意。桃柳已盡，杏梅結子，春天即將過去，似乎過得太輕易了。詞人靜心思量，好春年年有，好花年年見，其實是人自己憔悴，纔無心欣賞春景，那麼怎能爲春去匆匆而怨其輕率呢？

追昔撫今，詞人已是鬢髮斑白，靑春時令人難忘的舊事衹令他感到不堪回首。如今，面對美好的春景，詞人衹能用昏花的老眼來賞花，流下傷感的眼淚。他不怕花開得不夠繁密，衹怕觸動自己遲暮晚年的愁緒。也許等到百花爭艷之時，詞人還是會借酒消憂，及時行樂，挽留住美好風光。詞人想借「拚醉」來擺脫傷春嗟老的愁怨，然而拚醉求歡實是無奈，反而更加深了哀傷與愁怨。

張孝祥

六州歌頭

長淮望斷，關塞莽然平。征塵暗，霜風勁，悄邊聲，黯消凝。追想當年事，殆天數，非人力；洙泗上，絃歌地，亦羶腥。隔水氈鄉，落日牛羊下，區脫縱橫。看名王宵獵，騎火一川明。笳鼓悲鳴，遣人驚。

念腰間箭，匣中劍，空埃蠹，竟何成！時易失，心徒壯，歲將零，渺神京。干羽方懷遠，靜烽燧，且休兵。冠蓋使，紛馳騖，若爲情。聞道中原遺老，常南望、翠葆霓旌。使行人到此，忠憤氣填膺，有淚如傾。

陳霆渚山堂詞話：張安國在沿江帥幕，一日預宴，賦六州歌頭，歌罷，魏公流涕而起，掩袂而入。

詞解　望盡淮河地區，關塞平闊，秋風勁吹，四下無聲，這邊防地區卻是凋敝靜寂、無險可守。詞人想到當初的靖康之難，不由感歎中原沉淪，文明禮樂之地都落在金人手裏。金人就住在對岸，近在咫尺，屋舍衆多。金兵的將領夜裏出獵，他們的火把照亮了河川，悲切的笳鼓響起，更令人驚心。敵人虎視眈眈，聲威盛大的狀況與宋王朝邊防空虛的景象相對比，怎不讓詞人感到憂心忡忡？

詞人本有滿心壯志、一身本領，然而報國無門，徒有雄心壯志，卻無奈時機不待，歲月易逝。在這危急存亡之際，朝廷還以用文德來感化敵人爲藉口，休兵求和，連邊防都不管不顧，驛路上奔馳的盡是通使求和的車輛，這豈不難爲情？詞人聽說，中原的遺民還時常南望，期待王師到來。這令人抑鬱的現實，讓每一個行經邊地的有志之士都流下了淚水。全篇敘事陳情，鋪敘闊大，感時抒憤，痛快淋漓，充滿了愛國激情。

水調歌頭・泛湘江

濯足夜灘急，晞髮北風涼。吳山楚澤行遍，衹欠到瀟湘。買得扁舟

祭韓無咎尚書文落筆天成不事雕鎸如先秦書氣充力全

歸去，此事天公付我，六月下滄浪。蟬蛻塵埃外，蝶夢水雲鄉。製荷衣，紉蘭佩，把瓊芳。湘妃起舞一笑，撫瑟奏清商。喚起九歌忠憤，拂拭三閭文字，還與日爭光。莫遣兒輩覺，此樂未渠央。

詞解 詞人夜晚在急流中濯足，清晨在北風中晞髮，顯示出詞人胸懷的高潔脫俗。詞人遊遍了吳山楚澤，唯獨沒有去過瀟湘。這一次在落職北歸途中，詞人有幸泛舟於屈原遷逐的瀟湘之水，也實在是天公賦予的一大奇緣！此刻詞人宛若蟬脫殼，終可浮遊塵埃之外，如翩翩起舞的蝴蝶，栩栩然飛往了遠離塵囂的淨土。

用荷葉編織成衣，用蘭草貫串起來作佩帶，手持色澤如玉的香草，湘水之神飄然而至，她伴隨著悲涼的曲子跳起舞來。遙想屈原《九歌》等作品，其價值可與日月爭光。最後詞人從幻想的畫面中返回到了現實的境界，寓怨恨於歡樂中，餘韻不盡。

念奴嬌·過洞庭

洞庭青草，近中秋，更無一點風色。玉界瓊田三萬頃，著我扁舟一葉。素月分輝，明河共影，表裏俱澄澈。怡然心會，妙處難與君說。 應念嶺表經年，孤光自照，肝膽皆冰雪。短鬢蕭疏襟袖冷，穩泛滄溟空闊。盡挹西江，細斟北斗，萬象爲賓客。叩舷獨嘯，不知今夕何夕。

詞解 時近中秋，洞庭湖和青草湖上沒有一絲風。湖面如玉界瓊田，萬頃的浩淼湖水上，飄著詞人的一葉扁舟。明月分給它光輝，銀河與其共影，裏外一片澄澈透明。那妙處衹可意會，難以言傳啊！

詞人感念自己在嶺表的兩年，不就像這孤光自照的明月嗎？他肝膽純潔似冰雪。任憑頭上之髮稀少，身上之衣單薄，詞人仍穩泛著小舟，渡過這空闊無際的水域。且待舀盡長江之水，用北斗斟上醇酒，邀萬象爲賓客。敲擊船舷獨自嘯歌，良辰美景再難獲得。

韓元吉

六州歌頭

東風著意，先上小桃枝。紅粉膩，嬌如醉，倚朱扉，記年時。隱映新妝面，臨水岸，春將半，雲日暖，斜橋轉，夾城西。草軟莎平，跋馬垂楊渡，玉勒爭嘶。認蛾眉，凝笑臉，薄拂燕脂。繡戶曾窺，恨依依。 共攜

四庫全書總目詩體文格均有歐蘇之遺不在南宋諸人下

手處，香如霧，紅隨步，怨春遲。銷瘦損，憑誰問，祇花知，淚空垂。舊日堂前燕，和煙雨，又雙飛。人自老，春長好，夢佳期。前度劉郎，幾許風流地，花也應悲。但茫茫暮靄，目斷武陵溪，往事難追。

詞解 東風有意，最先吹到了桃枝上，盛開的桃花鮮艷嬌媚，詞人不由睹物思人，回憶起與情人初遇的情景。當初在那春和日麗的時節，他騎馬行過斜橋，踏過草地，轉過種滿垂楊的渡口，來到水邊與情人幽會，美人輕施脂粉，凝笑相迎，無限風情，一派溫馨。然而好景不長，自從離別之後，詞人再訪不遇，祇留下無限惆悵。

回想當初，詞人與情人攜手同遊，兩情親密。自離別後，他自處孤獨，日漸憔悴，可是無人理解他的哀傷，滿懷心事祇有託與花知。舊日堂前的燕子，如今又在煙雨中雙雙飛舞，而詞人卻孤獨一人，漸漸蒼老。春長好而人易老，更增添了他的悲惻。故地重遊，往事如煙，失去的愛情不可復得，祇給詞人留下無盡的眷戀與傷感。全詞以桃花始，以桃花終，處處緊扣桃花形神，借用桃花故事，由此生發出一段情事，一段歎喟，語言嫵媚秀麗，情意婉曲纏綿，哀婉動人。

好事近

汴京賜宴，聞教坊樂有感。

凝碧舊池頭，一聽管絃凄切。多少梨園聲在，總不堪華髮。杏花無處避春愁，也傍野煙發。惟有御溝聲斷，似知人嗚咽。

詞解 在舊日的林池邊，詞人聽見了舊時教坊的凄切樂曲。那些樂曲還同從前一樣，然而詞人已經青春不再、滿頭白髮，物是人非，讓他產生了無限感傷之情。

杏花不懂人世變遷，即使生長在郊野上，它也依舊逢春開放，可這景色卻觸動了詞人的哀愁。想來祇有御溝中的潺潺流水明白詞人的悵恨，因爲它也像人一樣在嗚咽飲泣。詞人借景抒情，字字哀婉，聲聲凄切，表達了追悼故國的悲痛之情。

袁去華

瑞鶴仙

郊原初過雨，見敗葉零亂，風定猶舞。斜陽掛深樹，映濃愁淺黛，遙山媚嫵。來時舊路，尚巖花、嬌黃半吐。到而今，惟有溪邊流水，見人如故。無語，郵亭深靜，下馬還尋，舊曾題處。無聊倦旅，傷離恨，最愁苦。縱收香藏鏡，他年重到，人面桃花在否。念沈沈、小閣幽窗，有時夢去。

詞解　這是一首寫旅途思念情人的詞。秋雨過後，在空闊的郊原上，詞人看見枯葉零亂飄落，雖然風已經停了，落葉還是四處飛舞。斜陽掛在樹梢上，映著遠處或濃或淡的嫵媚青山。回首來時，巖石上的野花正在綻放吐蕊，而如今，花已凋零，衹有溪中流水還同從前一樣。這淸冷蕭索的黃昏之景，烘染出了詞人心中的離愁。

詞人來到深靜的郵亭，下馬來尋找曾經題詩之處。在這無聊而令人厭倦的羈旅生涯中，離愁別恨最讓人感到愁苦。他深切地懷念舊日的情人，然而重逢不易，況且即使相見，是否還能和從前一樣呢？在沉沉的思念之中，有時詞人會在夢中回到她居住的小閣幽窗去。重逢無望，衹能在夢中相尋，憶念殊深，無奈至極。

安公子

弱柳千絲縷，嫩黃勻遍鴉啼處。寒入羅衣春尚淺，過一番風雨。問燕子來時，綠水橋邊路，曾畫樓、見箇人人否？料靜掩雲窗，塵滿哀絃危柱。　庾信愁如許，爲誰都著眉端聚。獨立東風彈淚眼，寄煙波東去。念永晝春閑，人倦如何度？閑傍枕、百囀黃鸝語，喚覺來厭厭，殘照依然花塢。

詞解　此詞爲客中思鄉懷人之作。柔弱的柳樹在春風中垂下千萬條柳絲，早鴉在嫩黃的柳枝間啼鳴。在這初春時節，又經過了一場風雨，料峭的春寒讓詞人感到身上的羅衣有些單薄。初春的景象引發了他對情人的思念，他不禁想問天上的燕子飛來之時，能否在綠水橋邊、路旁畫樓裏，見到他那心愛的情人？料想她也正在想念自己，因此靜掩雲窗，無心撫琴。詞人遙想情人的心境，正表現了自己對她深切的思念。

因爲思念，詞人產生了滿懷憂愁，就像庾信一樣多愁。他終日愁眉不展，獨自站在春風中黯然落淚，這相思的淚水都隨著江水東流而去。在這長日漫漫的春天，沒有情人陪在詞人身邊，他不知道該怎麼打發時間。他閑傍枕頭，聽著黃鸝百囀嬌啼，望著夕陽的餘暉照在花間，衹覺得心中滿懷悵恨。沒有她的日子，是多麼孤獨和無聊啊！

賀裳皺水軒詞筌：待歸來先指花梢教看，欲把心期細問，問因循過了青春，怎生意穩，迷離婉妮，幾在秦周之上

陸淞

瑞鶴仙

臉霞紅印枕，睡覺來、冠兒還是不整。屏閑麝煤冷，但眉峰壓翠，淚珠彈粉。堂深晝永，燕交飛、風簾露井。恨無人、說與相思，近日帶圍寬盡。

重省，殘燈朱幌，淡月紗窗，那時風景。陽臺路迥，雲雨夢，便無準。待歸來，先指花梢教看，欲把心期細問。問因循、過了青春，怎生意穩？

詞解　這是一首寫閨中人思念遠方情人的情詞。暈紅的雙頰印著枕痕，她睡覺醒來懶慵慵的，不整冠兒，無心打扮自己。看著屏風上的水墨畫，她感到非常冷清寂寞，不禁愁眉緊蹙，簌簌地落下淚珠來。她住在寬大空闊的宅院裏，孤獨無聊讓她感到度日如年，日子漫漫難以打發。燕子雙雙飛舞，追逐著穿過風簾飛到庭院裏，更觸動了她的心事。燕子尚且成雙成對，她卻孤苦一人，滿心的相思之情無人可以傾訴，因爲終日相思煩惱，她越來越消瘦。這兩句直訴衷腸，道出了她愁苦的緣由和眼前的境況。

回憶往昔，她與愛人歡聚的情景歷歷在目。夜深人靜之時，殘燈上紅色的

燈火輕輕搖晃，淡淡的月光照在紗窗上，她會與愛人在這靜謐的氣氛中度過一個個溫馨甜蜜的良宵。然而自從離別以後，他們相隔路遠，好夢難成，不知什麼時候纔能再次歡聚。她設想，等他回來的時候，她要先指花梢讓他看，再細細問他的心思：如果還是這樣下去，她把如花的青春都耽誤了，他的心裏怎麼能安心呢？這委婉哀怨的詰問，表達出她對情人的一片癡情以及想要長相廝守的願望。

陸游

卜算子・詠梅

驛外斷橋邊，寂寞開無主。已是黃昏獨自愁，更著風和雨。

無意苦爭春，一任群芳妒。零落成泥碾作塵，衹有香如故。

詞解　郊野驛站的斷橋旁邊，一樹梅花正寂寞地綻放著，沒有人來呵護，也沒有人來欣賞。已是黃昏時分，暮色迷離，這樹梅花衹能獨自承受愁苦和孤寂，再加上風雨無情的侵襲，它的處境就更加孤淒了。

梅花早早地開放，迎來了春天，但是它卻無意與百花爭奇鬥艷，任憑百花如何嫉妒它，梅花衹是默默地盛開著。直到花朵紛紛凋零落入泥土，甚至被

毛晉放翁詞跋楊用修慎云放翁詞纖麗處似淮海雄慨處似東坡予謂超爽處更似稼軒耳

路上往來的車馬碾作灰塵，梅花那淡淡的幽香還是依然如故、不曾改變。詞人長期政治失意，但他從不肯爭寵邀媚、阿諛奉承，他描寫這孤高寂寞的梅花，正表現了自己高潔正直、堅貞自守的品格。

釵頭鳳

紅酥手，黃縢酒。滿城春色宮牆柳。東風惡，歡情薄。一懷愁緒，幾年離索。錯，錯，錯。　春如舊，人空瘦。淚痕紅浥鮫綃透。桃花落，閑池閣。山盟雖在，錦書難託。莫！莫！莫！

詞解　正是滿城春色、楊柳低拂的好時節，那雙紅潤而柔軟的纖纖玉手爲詞人端來了黃縢酒，詞人不由想起從前夫妻恩愛的日子。可是人間的阻礙就像無情的東風一樣，迫使他與心愛的妻子離異，兩情相悅的快樂生活已不復存在。在離別的這幾年裏，詞人始終想念著昔日的愛人，回想往事，他滿懷愁怨，發出一聲聲沉痛的感慨：「錯了！錯了！錯了！」這是對自己無力反抗而與愛人離異的痛悔，也是對尊長壓迫的無奈。

如今詞人與昔日的愛人在沈園裏相遇，春色還同當年一樣明媚動人，景物依舊，衹是她比從前消瘦了許多。那一定是因爲她追懷往事、難忘舊情，

張宗橚詞林紀事放翁稼軒一掃纖艷不事斧鑿但時時掉書袋要是一癖

以至容顔憔悴。她流下的淚水霑濕了臉上的胭脂，染紅了擦眼淚的絲帕。這相逢的情景已經夠讓人悲傷了，而凋零的桃花、冷落的池閣更增添了兩人的哀愁。雖然彼此還有感情，雖然還記著往日的山盟海誓，可是她已經另嫁他人，這份深情再也無法用書信來傳達，詞人衹能痛苦地長歎：「罷了！罷了！罷了！」一切既已無可挽回，無限情意也衹能在這無奈的喟歎聲中結束了。

訴衷情

當年萬里覓封侯，匹馬戍梁州。關河夢斷何處，塵暗舊貂裘。　胡未滅，鬢先秋，淚空流。此身誰料，心在天山，身老滄洲。

詞解　遙想當年，詞人懷著爲國家建功立業的雄心壯志，奔波万里來到梁州，投身到戍守邊防的軍旅生活中。可是好景不長，詞人沒過多久就被調離了前綫，從此邊關的山河就衹能在夢中出現了。夢醒之時不知身在何方，衹有佈滿灰塵、顔色暗淡的舊日貂裘戎裝提醒他：那滿懷豪情、激動人心的從軍生活已經結束了！往事與現實的對照，讓詞人的一腔慷慨化爲悲涼。

金人未滅，中原大地還沒有收復，可是詞人已漸漸衰老、兩鬢斑白。面對

著功業未成而歲月無多的狀況，詞人感到壯志難酬，不由落下了沉痛的眼淚。回首自己的一生，他一心想上前綫去實現抗金救國的志向，誰料到卻始終鬱鬱不得志，如今衹能終老在閑居之地。理想與時局格格不入，人生抱負受盡挫折，難怪詞人的心情是如此沉鬱而痛苦了。

鷓鴣天

懶向青門學種瓜，衹將漁釣送年華。雙雙新燕飛春岸，片片輕鷗落晚沙。　歌縹緲，櫓嘔啞，酒如清露鮓如花。逢人問道歸何處，笑指船兒此是家。

詞解　詞人不想學東陵侯召平那樣在長安青門外種瓜，他衹願回家過清閑的漁釣生活，聊以打發殘生。詞人的家鄉山陰縣南的鏡湖，景色十分秀美：燕子成雙成對地翩翩飛來，白鷗好似片片落花般停落在沙灘上。遠處時常會傳來飄渺的漁歌和搖櫓聲音，酒香如醇，鮓魚艷麗如花。漁釣生活如此自在快樂，詞人甚至願意以船爲家，所以當別人問他家在哪裏時，他笑著說船兒就是自己的家。若聯繫詞人的志趣，便可知詞中所說的這些自在快樂，是詞人迫於環境而自我排遣的結果，也是他熱愛自然的一個側

面和強作曠達的一種表面姿態。

秋波媚

七月十六日晚登高興亭望長安南山

秋到邊城角聲哀，烽火照高臺。悲歌擊筑，憑高酹酒，此興悠哉！　多情誰似南山月，特地暮雲開。灞橋煙柳，曲江池館，應待人來。

詞解　秋風吹起，傳來了軍中號角所發出的悲涼聲音。詞人站在高興亭，望見了傳遞情報的烽火。詞人擊筑高歌，表示誓死奪取勝利的決心，並將酒灑向國土，預祝宋軍早日收復長安。此時詞人的興致非常高昂。

多情的南山明月特意衝開層層的暮雲，將清輝灑向人間。詞人倍思故土長安，所以很自然就會想到那裏的名勝景物，於是灞橋送別，折柳以贈行者。曲江遊春，水邊幾多佳人，往昔長安城的種種繁華之景，便依次回映到了詞人的腦海中。詞人彷佛看到了灞橋兩岸的煙柳在迎風搖擺，曲江池等無數亭臺樓館都敞開了門，正期待著宋軍早日勝利歸來。

謝池春

壯歲從戎，曾是氣吞殘虜。陣雲高、狼煙夜舉。朱顔青鬢，擁雕戈西戍。笑儒冠自來多誤。

功名夢斷，卻泛扁舟吳楚。漫悲歌、傷懷弔古。煙波無際，望秦關何處？歎流年又成虛度。

詞解 詞人回憶自己壯年之時參軍，曾有過斬殺敵虜的豪邁氣魄。遙想當年，兵戈烈焰，狼煙四起，爲了收復西北失地，年輕的詞人帶著兵器奔赴了西北抗金前綫。詞人終於實現了想效力於恢復舊河山事業的心願，因此那時常譏笑：自古儒生都浪費了大好的青春而不參軍報效國家。

然而詞人沒過多久就被調離了前綫，從此上陣殺敵的夢破碎了。那激動人心的戎馬生活已經結束了，如今詞人衹能百無聊賴地在這片吳楚大地上泛舟。此時詞人又不免自我寬解：不要悲歌，不要去傷懷弔古了，就這樣過隱居北鄉的生活吧。可一望無際的江湖，又使詞人想到了此刻邊關戰事。金人未滅，中原大地還未收復，而自己卻衹能在這閑居之地泛舟低吟，不由得感歎自己又虛度了歲月。

鵲橋仙・夜聞杜鵑

茅簷人靜，蓬窗燈暗，春晚連江風雨。林鶯巢燕總無聲，但月夜、常啼杜宇。

催成清淚，驚殘孤夢，又揀深枝飛去。故山猶自不堪聽，況半世、飄然羈旅！

詞解　暮春時節，眺望江面，風雨連天。詞人孤單一人枯坐在簡陋的茅屋裏，人靜燈暗，連樹林裏的黃鶯燕雀都停止了鳴叫，夜晚十分寂靜，唯有杜鵑在月夜裏一聲聲淒厲地叫著，聲聲刺耳驚心。杜鵑淒厲的叫聲觸動了詞人隱痛，引發了詞人諸多聯想，情到悲處竟然不禁淚水婆娑。詞人多想親臨前綫上陣殺敵，這個願望也衹能在夢裏實現了。然而好夢不長，杜鵑不斷的哀鳴聲將詞人的夢打碎了，詞人被拉回到了冰冷的現實。

杜鵑又揀深枝，且飛且鳴。這淒厲的哀鳴聲，詞人即使身在故鄉都不忍聽聞，更何況此時此境，詞人已是漂泊半世，歲月蹉跎，壯志未酬，功業未遂。凡此種種，百感交集，眞是悲不自勝啊！全詞感傷命運，憂時念國，融失意孤寂之感於暮春景物之中，於杜鵑啼血見熱血赤誠。

陳亮

水龍吟

鬧花深處樓臺，畫簾半捲東風軟。春歸翠陌，平莎茸嫩，垂楊金淺。遲日催花，淡雲閣雨，輕寒輕暖。恨芳菲世界，遊人未賞，都付與、鶯和燕。

寂寞憑高念遠，向南樓、一聲歸雁。金釵鬥草，青絲勒馬，風流雲散。羅綬分香，翠綃封淚，幾多幽怨？正銷魂，又是疏煙淡月，子規聲斷。

黄蓼園蓼園詞選言恢復之事甚剴切無如當事者志圖逸樂狃於苟安此春恨詞所以作也

詞解　高樓掩映在繁花深處，垂簾半捲，溫暖的春風吹入樓中。春風吹綠了路上的綿綿芳草，平原上初生的莎草一片嫩綠，垂柳上長出了淺金色的新芽。明媚的陽光催開了鮮艷的花朵，淡雲含雨，正是輕暖輕寒氣候宜人的初春時節。春天裏花草生長，美麗芬芳，可惜這美好的風光衹能將美景交給黃鶯和燕子去歌唱了，因爲詞人一懷愁緒，實在無心欣賞春景。

詞人處境孤寂，他登高懷遠，向南樓望見一行行歸雁。他想起從前：拔下金釵做鬥草遊戲，騎著用青絲繩做絡頭的駿馬，那樣的生活是多麼快樂啊，可是昔日的遊伴都已如風吹雲散，不能再歡聚一堂了。難以忘記臨別時以

鄭文焯絕妙好詞校錄片時春夢江南天闊二句乃用岑嘉州枕上片時春夢中行盡江南數千里詩意蓋隱括於例也

香羅帶相贈的情景，難以忘懷翠巾擦乾了多少思念的眼淚，詞人的心中充滿了無盡的幽怨。正在他黯然銷魂的時候，杜鵑又一聲聲淒厲地叫了起來，這疏煙淡月的景象與從前是多麼相像，怎麼能不讓人觸景傷情呢？

范成大

憶秦娥

樓陰缺，闌干影臥東廂月。東廂月，一天風露，杏花如雪。　隔煙催漏金虬咽，羅幃暗淡燈花結。燈花結，片時春夢，江南天闊。

詞解　小樓掩映在樹蔭之間，明月高懸，欄杆的影子投在東廂之下。在皎潔的月光下，天清氣爽，風輕露寒，滿院盛開的杏花潔白如雪。這一清淡幽靜的園林景色，微微露出樓中人的寂寞幽怨之情。

樓中的少婦懷念遠人，久久不能入睡。寂靜的繡閣中，衹有漏壺上的銅龍透過淡淡的煙霧傳來點點滴滴的漏聲，她心懷愁苦，這漏聲聽來就像在哽咽一樣。羅幃裏燈光暗淡，燈芯燃盡結成了燈花。她帶著一絲希望，漸漸進入了夢鄉，片刻的迷離恍惚之間，她的夢魂來到了江南，追尋良人的蹤跡。可是她在夢中能否見到她的心上人，詞人並沒有說明，衹留下了無窮的韻味。

眼兒媚

萍鄉道中乍晴，臥輿中睏甚，小憩柳塘。

酣酣日腳紫煙浮，妍暖破輕裘。睏人天色，醉人花氣，午夢扶頭。　春慵恰似春塘水，一片縠紋愁。溶溶曳曳。東風無力，欲避還休。

詞解　初春時節，雨後初晴，明媚的陽光從雲縫中照射下來，地面上浮起一層濛濛水氣，天氣已微微轉暖，詞人敞開了他的薄襖。這種輕暖的天氣最讓人睏倦，而陣陣花香則令人沈醉，詞人就在這愜意的環境中昏昏沈沈地睡著了。

春天是容易感到倦怠的季節，詞人把春慵比作了泛著漣漪的春水：時而微波蕩漾，時而舒緩平靜，恍恍惚惚，不可捉摸。輕柔的春風吹過，詞人本想避開，卻又懶洋洋地作罷了。這難以名狀的春睏，卻被詞人如此形象而自然地表現了出來。

霜天曉角

晚晴風歇，一夜春威折。脈脈花疏天淡，雲來去、數枝雪。　勝

絕，愁亦絕，此情誰共說？惟有兩行低雁，知人倚、畫樓月。

詞解 傍晚時分天氣轉晴，凜冽的寒風停歇了，一夜之間春寒的威力漸漸減弱。晴朗的天空中，淡淡的白雲悠然來去，幾枝疏落的花兒綻放著，含情脈脈，潔白如雪。

這淸淡雅致的景色美麗至極，然而詞人的愁思也到了極點，因爲如此良辰美景，卻沒有人與他共同欣賞，他這孤淒之苦向誰去傾訴呢？衹有兩行低飛的大雁，能夠理解詞人倚樓望月的心情。美景反襯著詞人的愁怨，情寓景中，景由情生，蘊藉而精警。

辛棄疾

賀新郎・別茂嘉十二弟

綠樹聽鵜鴂，更那堪、鷓鴣聲住，杜鵑聲切。啼到春歸無尋處，苦恨芳菲都歇。算未抵、人間離別。馬上琵琶關塞黑，更長門、翠輦辭金闕，看燕燕，送歸妾。

將軍百戰身名裂，向河梁、回頭萬里，故人長絕。易水蕭蕭西風冷，滿座衣冠似雪，正壯士、悲歌未徹。啼鳥還知如許恨，料不啼淸淚長啼血。誰共我，醉明月？

陳廷焯白雨齋詞話稼軒詞自以賀新郎別茂嘉十二弟一篇爲冠

詞解 臨別之際，鵜鴂在綠樹枝頭聲聲哀鳴，令人心生淒慘。更令人難以忍受的是，鷓鴣聲纔剛剛停下，杜鵑又悲切地叫了起來。這些鳴聲淒涼的鳥兒，似乎是爲了春日將近而終日啼鳴，一聲聲都像是在哀歎百花的凋零。但鳥鳴聲再怎麽悲涼，也比不上人間的離愁別恨。詞人與族弟即將遠別天涯，他不由得想起古人：王昭君遠嫁匈奴，在馬上彈著琵琶離開了家鄉；陳皇后失寵之後，乘著宮車告別君王，來到長門宮幽居；衛國夫人唱著《燕燕》詩，遠送辭家去國的歸妾。這三位失意宮人的命運，正好似詞人報國無門、壯志難酬的悲涼身世。

但詞人並不溺於個人的離愁，他又想起歷史上另一些生離死別的故事：李陵身經百戰，衹因寡不敵衆投降匈奴而身敗名裂。他曾在河梁與老友送別，回首看曾經同遊之地，從此就相隔万里，永不相見；而荊軻前去行刺秦王嬴政，燕太子丹及其賓客都穿著白衣，在易水爲他送別，一曲慷慨悲歌，滿座垂淚。國仇家恨，壯志難酬，啼鳥如果懂得這些恨事，哭出來的就不是眼淚而是鮮血了。啼鳥固然無知，世上知音更難尋覓，茂嘉弟走了以後，還有誰能理解詞人的怨憤和抱負，與他在月夜共醉呢？

俞陛雲《唐五代兩宋詞選釋》：前四句寫登臨所見，起筆便有浩蕩之氣。

李佳《左庵詞話》：此闋悲壯蒼涼，極詠古能事。

水龍吟・登建康賞心亭

楚天千里清秋，水隨天去秋無際。遙岑遠目，獻愁供恨，玉簪螺髻。落日樓頭，斷鴻聲裏，江南遊子。把吳鉤看了，闌干拍遍，無人會，登臨意。　休說鱸魚堪膾，盡西風，季鷹歸未？求田問舍，怕應羞見，劉郎才氣。可惜流年，憂愁風雨，樹猶如此。倩何人喚取，紅巾翠袖，搵英雄淚？

詞解　詞人登上秦淮河畔的賞心亭，極目遠望，衹見千里長天空闊，大江涌流天際，秋色無邊。眺望遠山，青山好像美人頭上的碧玉簪和螺形髮髻。但這明媚的秋景，衹能引起詞人無窮的愁恨。因爲他流落江南，滿腹才華無處施展，一身抱負無法實現，在這落日映照的樓頭，聽著一聲聲斷鴻的哀鳴，他衹能看著手中的寶刀，一遍遍拍著欄杆，發泄心中的鬱悶。但是沒人能夠理解詞人抗金復國的赤子之心，他衹能獨自登臨，望著眼前的大好河山空自興歎。

儘管鬱鬱不得志，但詞人並沒有放棄盡忠報國的志向，他不願意學張翰，因爲想念家鄉的美味佳肴就棄官回家，也不屑於像許汜那樣衹知求田問舍而令劉備輕視。可惜詞人的滿腔熱誠並沒有得到國家的重視，他閑居多年，白白浪費了大好光陰。桓溫見到昔日親手種的柳樹已經長大的時候感歎道：「木猶如此，人何以堪！」詞人也同樣感到傷感，可是有誰能喚來紅巾翠袖的美人，替他拭去失意的淚水呢？這一把英雄淚，豪氣濃情，真令人不勝慨歎。

永遇樂・京口北固亭懷古

千古江山，英雄無覓，孫仲謀處。舞榭歌臺，風流總被，雨打風吹去。斜陽草樹，尋常巷陌，人道寄奴曾住。想當年，金戈鐵馬，氣吞萬里如虎。　元嘉草草，封狼居胥，贏得倉皇北顧。四十三年，望中猶記，烽火揚州路。可堪回首，佛狸祠下，一片神鴉社鼓。憑誰問，廉頗老矣，尚能飯否？

詞解　詞人登上京口北固亭，追憶歷史上的英雄人物：大好江山千古存留，但卻無處尋找像孫權那樣的英雄，當年他所建都城裏的舞榭歌臺在千年的風吹雨打之下已不復風流；斜陽映照著草木，尋常巷陌曾是宋武帝劉寄奴住過的地方，當年他率軍北伐，金戈鐵馬馳騁万里，氣吞山河有如猛虎。

俞陛雲《唐五代兩宋詞選釋》：此借傷春以懷人，有悱惻婉轉之思，剛柔兼擅之筆也。

然而後人並沒有繼承這些英雄人物的豐功偉績，元嘉年間，宋文帝草率出兵，想要建立霍去病那樣的功勛，結果衹落得大敗而歸，倉皇南逃。這一段歷史，與金人南侵是多麼相似，詞人不由感慨，從自己參加抗金鬥爭、奉表南歸以來，已經過了四十三年，然而當時揚州一帶烽煙四起的景象還記憶猶新。往事不堪回首，可人們已淡忘了歷史，竟在佛狸祠下打鼓祭神。廉頗老時趙王派人問他是否能像從前一樣吃飯、打仗，最終未曾起用他，而詞人胸懷大志也無人賞識，蹉跎至今，眼見抗金大業難成，他的一腔忠憤之情溢於言表。

木蘭花慢・滁州送范倅

老來情味減，對別酒，怯流年。況屈指中秋，十分好月，不照人圓。無情水，都不管，共西風、衹等送歸船。秋晚蒓鱸江上，夜深兒女燈前。　征衫，便好去朝天，玉殿正思賢。想夜半承明，留教視草，卻遣籌邊。長安故人問我，道愁腸、泥酒衹依然。目斷秋霄落雁，醉來時響空絃。

詞解　當人漸漸衰老的時候，年輕時的熱情也隨之減少，詞人面對離別的友人舉酒相送，衹會爲青春的流逝而深感不安。況且中秋節即將到來，那時的月亮明亮皎潔，詞人卻不能再和友人一同賞月了，他想到這一點怎麼能不感到傷懷呢？因此他怨恨江水無情，竟不會挽留將要遠行的友人，而是和秋風一起載走了他所乘的小船。既然離別已無法避免，詞人衹能衷心地祝願他一路順風，早早回家與兒女團聚。

范昂奉調京城，詞人很關心他的前途。如今正是朝廷招才納賢的時候，詞人期待友人此次前去可以朝見天子並受到重用，能夠爲皇帝草擬制詔之稿，或是籌劃邊防軍事。衹是如果京城裏的老朋友問起他來，衹好回答說他依然是終日借酒澆愁。遙望著天空中的秋雁，詞人在醉意朦朧中仿佛時時聽到拉響空絃的聲音，他一生備受挫折，就像這驚弓之鳥一樣總是感到孤獨自危。正是因爲詞人鬱鬱不得志，纔把自己的心願都寄託在友人身上，殷切地盼望他能爲收復中原的事業作出貢獻。

祝英臺近・晚春

寶釵分，桃葉渡，煙柳暗南浦。怕上層樓，十日九風雨。斷腸片片飛紅，都無人管，更誰勸、啼鶯聲住？　鬢邊覷，試把花卜歸期，纔

梁令嫻藝蘅館詞選：自憐幽獨，傷心人別有懷抱。

簪又重數。羅帳燈昏，哽咽夢中語。是他春帶愁來，春歸何處，卻不解、將愁歸去。

詞解 一對情人在桃葉渡分手，女子取下她的髮釵分作兩股，兩人依依惜別。離別處輕煙籠罩著垂柳，這景象實在令人感到哀傷。情人走了以後，她害怕再登上高樓遠望，因爲十天裏有九天都是風雨交加，片片花瓣隨風雨飄落，沒有人來憐惜落花，更有誰來勸黃鶯不要再悲哀地啼鳴？望不到遠行的情人，衹能看到這淒涼的景象，她的心裏難免愁苦萬分。

她斜看鬢邊所插的花朵，忍不住用數花瓣的方法來卜算情人的歸期。纔剛剛算過將花插回頭上，卻又取下來重數。夜晚，在昏暗的燈光下睡進羅帳，她在睡夢中都哽咽著哭訴自己的相思。可是這一腔愁怨無人知會，她衹能埋怨春天：是春天帶來了春愁，現在它回到什麼地方去了，卻不知道將憂愁也一並帶走呢？詞人模擬女子的口吻傾吐對情人的思念，其實是在借閨怨之詞來抒發自己鬱鬱寡歡、孤獨無助的心情。

青玉案·元夕

東風夜放花千樹，更吹落，星如雨。寶馬雕車香滿路，鳳簫聲動，玉

壺光轉，一夜魚龍舞。 蛾兒雪柳黃金縷，笑語盈盈暗香去。衆裏尋他千百度，驀然回首，那人卻在，燈火闌珊處。

詞解 元宵節的夜晚，街市上到處都是美麗的花燈，仿佛是東風一夜之間吹開了千萬樹的鮮花。四處燃放的煙火又像是天上的繁星被吹落到了人間，如雨點一般落下來。繁華的街道上熱鬧非凡，寶馬雕車川流不息。鳳簫吹起歡快的曲子，精美的玉壺燈流光溢彩，人們舞著魚形和龍形的花燈通宵狂歡。這是多麼盛大的場面，多麼快樂的節日！

節日裏出來觀燈的婦女頭上戴著各式各樣的飾物，打扮得花枝招展。她們笑語盈盈地走過去，留下一陣脂粉的暗香。詞人在喧鬧的人群裏尋覓他的意中人，在張望了千百次之後，他突然回過頭來，卻看見她正獨自一人站在燈火寥落的角落裏。詞人一生政治失意，但他始終不肯同流合污，放棄收復中原的理想，這寂寞高潔而不合時宜的形象，正是他自身品格的寫照。

摸魚兒·暮春

淳熙己亥，自湖北漕移湖南，同官王正之置酒小山亭爲賦。

更能消、幾番風雨，匆匆春又歸去。惜春長怕花開早，何況落紅無

梁啓超飲冰室評詞迴腸蕩氣至於此極前無古人後無來者

數。春且住！見說道、天涯芳草無歸路。怨春不語，算衹有殷勤，畫檐蛛網，盡日惹飛絮。

長門事，准擬佳期又誤，蛾眉曾有人妒。千金縱買相如賦，脈脈此情誰訴？君莫舞！君不見、玉環飛燕皆塵土。閑愁最苦，休去倚危闌，斜陽正在，煙柳斷腸處。

詞解 如今正是暮春時節，再也經不起幾番風雨，春天便要匆匆地過去了。因爲留戀春光，詞人常常害怕花開得太早，那樣它也會早早凋零。現在滿地落花，怎麼不讓他心生傷感而更加珍惜殘春呢？詞人想留住春天，他對春天說道：「停下你的腳步吧，聽說芳草已綿延到天邊，斷絕了歸路！」可是春天默然不答，依然漸漸遠去。詞人無計留春，算來衹有殷勤的蜘蛛在屋檐下結網，網住空中飄飛的殘絮，好像要將春天多留一刻。

暮春的景致牽動了詞人的哀思，讓他深感自己的失落。他不由自主地想起：漢武帝時，陳皇后遭到了小人的嫉妒，她幽居在長門宮，算好的佳期被一誤再誤。縱然她不惜千金請來司馬相如作《長門賦》，喚回了漢武帝的歡心，可是她滿心的失落和痛苦又能向誰傾訴呢？詞人的命運就像陳皇后一樣，得不到君王的重用，心中充滿了愁苦。他忍不住向那些嫉賢妒能的奸佞小人發出憤怒的呼喊：「你們不要得意忘形地手舞足蹈，就算像楊玉環、趙飛燕一樣寵極一時的人也終會歸於塵土的！」在現實的生活中，詞人因爲閑處一方無所作爲而痛苦，他不敢登高望遠來排遣心頭的鬱悶，因爲斜陽正照在暮煙籠罩的楊柳上。觸景傷情，那淒迷的景象眞會讓他腸斷的。

陳廷焯雲韶集血淚淋漓古今讓其獨步結二語號呼痛哭音節之悲至今猶隱隱在耳

菩薩蠻·書江西造口壁

鬱孤臺下清江水，中間多少行人淚。西北望長安，可憐無數山。 青山遮不住，畢竟東流去。江晚正愁餘，山深聞鷓鴣。

詞解 鬱孤臺下是日夜奔流不息的清江水，滔滔江水中不知流淌著多少行人的眼淚。詞人身臨造口，想起當年國土淪喪、金軍南逼的歷史，他的滿腔悲憤，無疑也化作了流不盡的傷心淚。他放眼遙望故都汴京，可是無數青山重重遮攔，又怎麼能看見那舊日的都城呢？

青山雖然能遮住人的視綫，但卻擋不住滾滾東流的江水，就像重重阻礙畢竟擋不住收復中原的人心所向。然而時局不容樂觀，詞人的心情並不輕鬆。江天漸晚，暮色蒼茫，正是他沉鬱苦悶的時候，誰知鷓鴣又一聲聲地叫起了「行不得也，哥哥」，他更是感到愁苦不堪了。

念奴嬌・書東流村壁

野棠花落，又匆匆過了，清明時節。剗地東風欺客夢，一夜雲屏寒怯。曲岸持觴，垂楊繫馬，此地曾輕別。樓空人去，舊遊飛燕能說。

聞道綺陌東頭，行人曾見，簾底纖纖月。舊恨春江流不斷，新恨雲山千疊。料得明朝，尊前重見，鏡裏花難折。也應驚問：近來多少華髮？

詞解　野棠花兒已經凋謝，轉眼之間又過了清明時節。東風無故驚醒了睡夢中的旅客，一陣涼氣透過屏風吹來。從夢中驚醒的詞人一時間難以入睡，腦中閃現了與佳人在河岸邊舉杯暢飲，在楊柳下繫馬餞行時的情景。如今此地人去樓空，衹有樓頭的燕子還能記得舊日情事。

聽人說曾經在東市街頭看見過她的芳蹤。可惜舊日的情事如東流的春水，一去不回，新的遺憾又如天上的雲山一樣層層添來。即使有一天能夠重睹佳人，衹怕也如鏡中之花難以攀折一樣不能再續前緣了。詞人猜想佳人看到他白髮頻生的樣子也會很吃驚的。

清平樂・村居

茅簷低小，溪上青青草。醉裏吳音相媚好，白髮誰家翁媼？　大兒鋤豆溪東。中兒正織鷄籠。最喜小兒亡賴，溪頭臥剝蓮蓬。

詞解　有一五口之家，住在一所矮小的茅屋裏。茅屋旁小溪潺潺，岸邊長滿了茵茵青草。一對滿頭白髮的老夫妻，親熱地坐在一起，一邊喝酒，一邊聊天，那吳地方音聽起來柔婉而又美好。

他們的大兒子正在小溪東岸的豆地裏鋤草；二兒子正忙著編鷄籠子；最招人喜愛的小兒子很頑皮，正躺在溪頭剝食著剛剛摘下的蓮蓬。其實，茅簷、小溪、青草等是農村中常見的東西，詞人的妙筆把它們放在一個畫面中，就顯得格外清新和優美。尤其是詞人通過簡單的人物活動安排，就眞實地反映出生機勃勃、樸素安適的農村生活，表現出詞人喜愛農村寧靜和平的生活。

西江月・夜行黃沙道中

明月別枝驚鵲，清風半夜鳴蟬。稻花香裏說豐年，聽取蛙聲一片。

七八個星天外，兩三點雨山前。舊時茅店社林邊，路轉溪橋忽見。

詞解 天邊的明月昇上了樹梢，驚動喜鵲飛離了樹枝。清涼的夜風中不時傳來陣陣蟬鳴。一陣陣濃濃的稻花香沁人心脾，似乎在告訴行人今年又是一個豐收年，駐足聆聽那一片蛙聲，好似也在爲人們的豐收而歡唱著。閃爍的星星時隱時現，轉眼山前便下起了濛濛細雨。轉過橋頭，鄉村林邊的茅店就意想不到地呈現在了詞人的眼前。儘管對黃沙道這段路非常熟悉，但是詞人醉心於沿途的風景，居然沒有察覺自己早已臨近茅店了。前文「路轉」，後文「忽見」，既襯託出詞人忽然看見舊屋出現在眼前的歡欣，又暗寫他沉浸在稻花香中以至於忘了道途的遠近，真可謂神來之筆。

粉蝶兒

和趙晉臣敷文賦落梅

昨日春如，十三女兒學繡，一枝枝、不教花瘦。甚無情，便下得，雨僝風僽。向園林，鋪作地衣紅縐。　而今春似，輕薄蕩子難久。記前時、送春歸後，把春波，都釀作，一江醇酎。約清愁，楊柳岸邊相候。

詞解 昨日春光正好，梅花盛開的樣子就像十二三歲的小姑娘初學繡花一樣，每朵都開得那麼飽滿。可是老天爲什麼這麼無情，讓風雨對梅花百般摧殘。被風雨摧殘的梅花，落了一地，好像是爲花園鋪上了一層紅色地毯。

今日春天不肯長留，就像蕩子一樣不以離別爲念。記得去年送春，落花飄蕩在水面上，好像把一江浩蕩的春水都釀成了醇酒。詞人將春水綠波都看作是有情之物，認爲它們都被釀成了醉人的美酒，甚至連最不可捉摸的清愁也被形象化了，詞人竟與「清愁」相約在長滿楊柳的岸邊相見。正因爲年年落花，年年送春，清愁也就會年年應約而來。就此打住，不需再著悼紅惜香一字，而那不盡的餘味，則盡納其中。

醜奴兒・書博山道中壁

少年不識愁滋味，愛上層樓。愛上層樓，爲賦新詞強說愁。　而今識盡愁滋味，欲說還休。欲說還休，卻道「天涼好箇秋」！

詞解 詞人回憶少年時代自己不知道愁爲何物，喜歡登樓賞玩作賦，爲寫一首新詞，沒有愁而硬要說愁。如今飽嘗了愁苦的滋味，卻無法用語言表述出來。詞人懷著捐軀報國的志願投奔南宋，力主恢復中原，可是不僅未被朝廷重視，反而遭到了投降派的迫害，如今落得被削職閑居的境地，其心中的愁苦可想而知，可是這些愁苦詞人卻欲說還休，因爲有的愁苦不能說，也不便說，而且也說不盡，說了又有何意義呢！詞人衹得故作灑脱地說句「天涼好箇秋」！全詞構思新巧，重語輕說，濃愁淡寫，語淺意深，別具一種耐人尋味的情韻。

破陣子

為陳同甫賦壯詞以寄

醉裏挑燈看劍，夢回吹角連營。八百里分麾下炙，五十絃翻塞外聲。沙場秋點兵。

馬作的盧飛快，弓如霹靂弦驚。了卻君王天下事，贏得生前身後名。可憐白髮生！

詞解　詞人即使在醉酒之際也不忘挑燈看劍，夢醒後似乎還聽到了軍營中吹響號角的聲音。分給部下烤肉吃，演奏雄壯的邊塞歌曲，在秋日的戰場上點檢軍隊，準備攻擊敵人，這是多麼令人鼓舞的場面！

戰馬像的盧般飛快，弓箭如同霹靂般強勁，衝鋒陷陣，殺敵立功，完成君王恢復中原的大業，也能為自己建立歷史功績。可惜如今自己有志難申，卻早生白髮，一生的理想化為了泡影。這首詞的佈局謀篇別具一格。起句寫實，挑燈看劍，然豪情中已含悲涼，為結尾處埋下伏筆。「夢回」以下，全是夢

中之景，結句筆鋒一陡又回到現實，一聲長歎，無限悲壯。

鷓鴣天

有客慨然談功名，因追念少年時事，戲作。

壯歲旌旗擁萬夫，錦襜突騎渡江初。燕兵夜娖銀胡䩮，漢箭朝飛金僕姑。

追往事，歎今吾，春風不染白髭鬚。卻將萬字平戎策，換得東家種樹書。

詞解　詞人年輕時曾擒獲叛徒張安國，率領上萬名抗金義士南下。南奔時，金兵夜裏提著箭袋進行追趕，早上義軍用箭又回射金兵，終於突破了金兵防綫，成功南渡歸宋。

詞人追憶著這些少年往事，哀歎如今自己韶華已逝。春風能染綠草木，卻無法把華髮染黑。詞人滿腹經綸韜略，曾經寫過無數抗金策略，而今卻毫無用武之地，他無奈地說這些萬言的平戎策略還不如跟東邊的鄰居換來種樹的書。此詞深刻地概括了一位抗金英雄報國無門、壯志難酬的悲慘遭遇。

西江月·遣興

醉裏且貪歡笑，要愁那得工夫。近來始覺古人書，信著全無是處。

昨夜松邊醉倒，問松「我醉何如」。衹疑松動要來扶，以手推松曰：「去！」

詞解　詞人借酒言歡，無空理閑愁。最近詞人發覺古書上的話，全無可信之處。

昨晚詞人於松邊醉倒，醉眼迷濛，竟對松樹自言自語起來。他問松樹：「我醉得怎麼樣？」他在恍惚中看到松枝輕擺，懷疑是松樹要扶他起來，於是他便不耐煩地用手推推松樹說：「走開！」醉憨神態，躍然紙上，亦將詞人倔強的性格表露無遺。

南鄉子・登京口北固亭有懷

何處望神州？滿眼風光北固樓。千古興亡多少事？悠悠，不盡長江滚滚流。　年少萬兜鍪，坐斷東南戰未休。天下英雄誰敵手？曹劉。生子當如孫仲謀。

詞解　此時南宋與金以淮河爲界，詞人站在長江之濱的北固樓上，翹首遙望江北金兵佔領區，哪裏能夠看到中原故土啊！映入眼簾的衹有北固樓周遭一片秀美的風光了。世人們可知道，千百年來這裏經歷了多少朝代的興亡更替？從古到今朝代更迭，興亡交替從未休止，就像長江水一樣奔流不息。

想當年在這江防戰略要地，多少英雄「金戈鐵馬」，「氣吞万里如虎」，三國時代的孫權就是其中最傑出的一位。他年紀輕輕就統率千軍萬馬，雄踞東南一隅，何等英雄氣概！若問天下英雄誰配當他的敵手，衹有曹操和劉備而已。生兒子就要像孫權一樣。孫權能夠雄霸江東於一時，而南宋經過了好幾代皇帝，竟沒有出一個像孫權一樣的人物。結句雖是曹操的語言，而由辛棄疾口中說出，卻是代表了南宋人民要求朝廷奮發圖強、收復中原的時代呼聲。

姜夔

踏莎行

自沔東來。丁未元日，至金陵江上，感夢而作。

燕燕輕盈，鶯鶯嬌軟，分明又向華胥見。夜長爭得薄情知？春初早被相思染。　別後書辭，別時針綫，離魂暗逐郎行遠。淮南皓月冷千山，冥冥歸去無人管。

詞解　在夢中，詞人又真切地見到了舊日的愛人，她的身姿還是那麼輕盈，聲音還是那麼嬌軟。她在夢裏傾吐著她的思念：「我在漫漫長夜裏因爲想念你而難以入眠，你這薄情郎怎麼會知道？春天剛剛來臨，我已經飽受相思之苦！」正因爲詞人深深地懷念他的愛人，並且深深地期盼愛人也正思念著他，他纔會夢到這樣情深意濃的場面。

詞人對愛人始終難以忘懷，離別時她親手縫製衣物，離別後兩人書信往來，這一幕幕他都記在心上，因此儘管相隔千里，他還是覺得愛人就在他身邊，就仿佛是她的魂魄脫離了軀體，一直跟隨他到遠方。詞人不由想到：在她夢魂回去的時候，天邊的皓月照著通向淮南的漫漫長路，這凄清孤獨的夜裏，誰來陪伴她呢？夢中的相見不能安慰他的心靈，夢醒之後他依然思念不減。

慶宮春

紹熙辛亥除夕，予別石湖歸吳興，雪後夜過垂虹，嘗賦詩云：「笠澤茫茫雁影微，玉峰重疊護雲衣。長橋寂寞春寒夜，祇有詩人一舸歸。」後五年冬，復與俞商卿、張平甫、銛樸翁自封禺同載詣梁溪，道經吳松。山寒天迥，雲浪四合。中夕相呼步垂虹，星斗下垂，錯雜漁火，朔吹凜凜，卮酒不能支。樸翁以衾自纏，猶相與行吟。因賦此闋，蓋過旬，塗稿乃定。樸翁咎餘無益，然意所耽，不能自已也。平甫、商卿、樸翁皆工於詩，所出奇詭，余亦強追逐之。此行既歸，各得五十餘解。

雙槳蓴波，一蓑松雨，暮愁漸滿空闊。呼我盟鷗，翩翩欲下，背人還過木末。那回歸去，蕩雲雪、孤舟夜發。傷心重見，依約眉山，黛痕低壓。

采香徑裏春寒，老子婆娑，自歌誰答？垂虹西望，飄然引去，此興平生難遏。酒醒波遠，正凝想、明璫素襪。如今安在？唯有闌干，伴人一霎。

俞陛雲唐五代兩宋詞選釋：起筆即秀逸而工，承以盟鷗三句，著筆輕靈。

詞解

划動雙槳，蕩開漂著蓴菜的水波；披上蓑衣，冒著松林間飄來的細雨，暮色漸漸覆蓋了空闊的曠野。詞人呼喚空中的白鷗，它們翩翩飛翔著正要降落下來，卻又離開詞人飛過樹梢去了。詞人想起幾年前路過垂虹橋時，他乘著一葉孤舟，蕩開雲雪連夜進發，那雪夜泛舟的情景還歷歷在目。如今他重經此地，隱約望見遠山如眉，黛綠的山影低壓在天邊。蕩舟山川之間，見到景物如故而人事已非，詞人不免有些傷心唏噓。

采香徑上春寒料峭，詞人徘徊高歌，卻沒有人來應和。他站在垂虹橋上向西望去，面對一片蒼茫的景色，不由有超然物外、渾忘塵世之感，這時他想要飄然歸隱的宿願更加難以遏止了。他想學范蠡攜西施泛舟五湖，可是酒醒之後，這位佳人又在何處呢？他目送江水遠去，默默懷想古人，身邊唯有冰涼的欄杆陪伴著他。前塵如夢，實在令人歎息。

齊天樂

丙辰歲，與張功甫會飲張達可之堂，聞屋壁間蟋蟀有聲，功甫約余同賦，以授歌者。功甫先成，辭甚美。余徘徊茉莉花間，仰見秋月，頓起幽思，尋亦得此。蟋蟀，中都呼爲「促織」，善鬥。好事者或以三二十萬錢致一枚，鏤象齒爲樓觀以貯之。

庾郎先自吟愁賦，淒淒更聞私語。露濕銅鋪，苔侵石井，都是曾聽伊處。哀音似訴，正思婦無眠，起尋機杼。曲曲屏山，夜涼獨自甚情緒？　西窗又吹暗雨，爲誰頻斷續，相和砧杵？候館迎秋，離宮弔月，別有傷心無數。《豳》詩漫與，笑籬落呼燈，世間兒女。寫入琴絲，一聲聲更苦。

陳廷焯白雨齋詞話全篇皆寫怨情用筆亦別有神味難以言傳

詞解　友人已先吟成了一首像庾信那樣的哀怨宛轉的作品，而蟋蟀還在淒切地私語著，觸動了詞人的幽思。在露水打濕的大門邊，在苔蘚侵生的石井旁，人們都曾聽到過蟋蟀的鳴叫。那哀切的聲音如泣如訴，讓愁苦的思婦聽了更加難眠，衹好起身找尋機杼，通過勞作來排遣心中的哀愁。曲折的屏風上面畫著遙遙山水，更增添了她的離情，在這寒冷的夜裏，她獨自一人會是什麼心情？

西窗外又飄起陣陣細雨，蟋蟀應和著搗衣的砧杵聲，時斷時續地啼鳴不休，它爲什麼叫得這樣哀怨呢？人間有無窮無盡的傷心事，在客舍裏度過秋天的遊子，在離宮裏對月悼國的君王，他們聽到蟋蟀的叫聲更感到淒苦。《詩經·豳風》裏寫到蟋蟀時有些漫不經心，不懂事的兒童聽見蟋蟀叫衹會提著燈籠去籬笆旁玩耍。可是像詞人這樣滿懷愁緒的人，聽見蟋蟀的叫聲，想起身世之愁、家國之悲，衹會發出哀傷的歎息。曾經有人譜寫了一曲《蟋蟀吟》，那一聲聲地彈奏起來，就更讓人覺得悲苦了。

揚州慢

淳熙丙申至日，余過維揚。夜雪初霽，薺麥彌望。入其城則四顧蕭條，寒水自碧，暮色漸起，戍角悲吟。予懷愴然，感慨今昔，因自度此曲。千巖老人以爲有黍離之悲也。

俞陛雲唐五代兩宋詞選釋凡亂後感懷之作詞人所恆有白石之精到處淒異之音復能以浩氣行之由於天分高而醞釀深也

淮左名都，竹西佳處，解鞍少駐初程。過春風十里，盡薺麥青青。自胡馬、窺江去後，廢池喬木，猶厭言兵。漸黃昏、清角吹寒，都在空城。

杜郎俊賞，算而今、重到須驚。縱豆蔻詞工，青樓夢好，難賦深情。二十四橋仍在，波心蕩、冷月無聲。念橋邊紅藥，年年知爲誰生？

詞解 揚州是淮左地區的著名都會，竹西亭畔風景清幽，詞人停下行程，在這裏稍作逗留。昔日「春風十里」的繁華景象已不復存在，如今衹能看到滿眼青葱的薺菜和野麥。自從金兵南侵，佔領這裏以後，這裏衹剩下廢棄的池塘和高大的樹木，人們談起戰爭都不勝厭倦。黃昏降臨的時候，淒清的畫角聲響起，迴蕩在破敗的揚州空城裏。詞人看到這蕭條的景象，想到揚州從前的繁華，忍不住悲從中來。

想當年，唐代詩人杜牧曾在揚州遊歷，欣賞這裏的繁華景色，如果他重新到了這裏，看見現在這殘破的情景，恐怕會大吃一驚。就算他才華橫溢，也難以表達心中的震驚和悲愴。二十四橋仍然矗立在老地方，橋下水波蕩漾，倒映著清冷的月色，往日的熱鬧景象已蕩然無存。橋邊的紅芍藥花依然年復一年地盛開，它不知人世的變化，卻又是爲誰在開放呢？詞人哀時傷亂，感懷家國，心情眞是沉痛無比。

長亭怨慢

俞陛雲唐五代兩宋詞選釋此詞頗有桓司馬江潭之感雖似怨別之辭而實則亂愁無次觸緒紛來

予頗喜自製曲，初率意爲長短句，然後協以律，故前後闋多不同。桓大司馬云：「昔年種柳，依依漢南；今看搖落，淒愴江潭；樹猶如此，人何以堪！」此語余深愛之。

漸吹盡、枝頭香絮。是處人家，綠深門戶。遠浦縈迴，暮帆零亂向何許？閱人多矣，誰得似、長亭樹？樹若有情時，不會得、青青如此！

日暮，望高城不見，衹見亂山無數。韋郎去也，怎忘得、玉環分付。第一是、早早歸來，怕紅萼、無人爲主。算空有并刀，難剪離愁千縷。

詞解 暮春時節，枝頭上的柳絮已漸漸落盡，這裏的人家門戶都深掩在濃濃的樹蔭中。遠處的水岸曲折迂迴，零亂的船帆在暮色裏不知要駛向何方。詞人即將在此與愛人分手，他無處排遣離別的哀愁，衹能怨柳樹無情：生長在長亭邊的柳樹，見過無數離人送別的場面，可是它竟不會體察人們的先著詞潔：落筆得舊時月色四字，便欲使千古作者皆出其下。

心情，還是那樣青翠自在，全然不顧離人有多傷心。

詞人乘舟遠去，日暮的時候他回望來處，愛人所在的城市已看不見了，眼前衹有無數的亂山。韋皋遠行之後，未曾忘卻他與情人的期約，詞人也和韋皋一樣，不會忘記他的愛人。他衹怕愛人生活得孤苦無依，因此在他心中最重要的事就是要早日回來和她相聚。懷著這樣深情的牽掛，他自然覺得心裏充滿了離愁，就算用并州鋒利的剪刀也無法剪斷。

暗香

辛亥之冬，予載雪詣石湖。止既月，授簡索句，且徵新聲，作此兩曲。石湖把玩不已，使二妓肄習之，音節諧婉，乃名之曰《暗香》《疏影》。

舊時月色，算幾番照我，梅邊吹笛？喚起玉人，不管清寒與攀摘。何遜而今漸老，都忘卻、春風詞筆。但怪得、竹外疏花，香冷入瑤席。　江國，正寂寂。歎寄與路遙，夜雪初積。翠尊易泣，紅萼無言耿想憶。長記曾攜手處，千樹壓、西湖寒碧。又片片、吹盡也，幾時見得。

詞解

皎潔的月色年年如舊，詞人想起從前，曾有多少次，他在月光下的梅樹旁吹著笛子。他叫來愛人，兩人冒著清寒一同採摘梅花。可是那快樂的日子已經過去了，詞人如今年歲漸老，喪失了吟詠春風、抒寫詞章的閑情逸致。但如今在友人的筵席上，從竹林外傳來一縷梅花的冷香，又喚起了詞人的回憶。

江南正是寂靜冷清的冬季，詞人想起了舊日的愛人，他摘下梅花想寄給遠方的愛人，卻無奈路途遙遠，並且夜雪堆積阻礙重重。他難以如願，對著酒杯忍不住潸然淚下，默默無言的紅梅仿佛也陪著他一同懷念愛人。他永遠記得從前與愛人攜手同遊、欣賞梅花的時光，千萬樹梅花一直開到寒冷碧綠的西湖邊，那景色是多麼怡人。而今，詞人望著眼前的梅花，追憶往昔，不由黯然歎息：這些梅花又快要一片片地被風吹落了，到什麼時候纔能再看到呢？梅花還有再開的時候，而那些美好的歲月已一去不復返，這纔是令他真正覺得傷感的。

疏影

苔枝綴玉，有翠禽小小，枝上同宿。客裏相逢，籬角黃昏，無言自倚修竹。昭君不慣胡沙遠，但暗憶、江南江北。想佩環、月夜歸來，化作

鄭文焯白石道人歌曲校：此蓋傷心二帝蒙塵，諸后妃相從北轅，淪落胡地，故以昭君託喻，發言哀斷。

此花幽獨。猶記深宮舊事，那人正睡裏，飛近蛾綠。莫似春風，不管盈盈，早與安排金屋。還教一片隨波去，又卻怨、玉龍哀曲。等恁時、重覓幽香，已入小窗橫幅。

詞解 梅花如美玉一般點綴在著有苔蘚的樹枝上，嬌小的翠鳥依偎在枝頭與梅花一同歇宿。詞人流落天涯，在異地他鄉見到了梅花，就好像見到了朋友一樣。黃昏時分的籬笆旁，一樹梅花默默無言地倚著竹林，仿佛是一位孤獨而高潔的美人。詞人看著這樣的景象浮想聯翩：王昭君遠嫁匈奴，忍受著塞外風沙，始終在暗暗地懷念故國，這株幽怨孤高的梅花一定是她的魂魄在月夜歸來所化。

詞人還記得深宮裏的舊事，壽陽公主熟睡的時候，一朵梅花飛落在她的眉間。梅花這樣嬌美可愛，人們不能像無情的春風一樣不知憐惜，應該早早準備一所金屋來貯梅，好好呵護梅花。否則當梅花凋零、隨波漂遠的時候，那景象又會讓人埋怨玉笛將《梅花落》曲吹得太過哀傷了。等到那個時候，想再欣賞梅花的幽香，就衹有在小窗裏的畫幅上去尋找了。詞人將梅花當作美人來憐惜，足見他愛梅之深。

俞陛雲唐五代兩宋詞選釋：清愁英氣二句隱有少陵看鏡倚樓之感，句法倜儻而深鬱，自是名句。

陳廷焯白雨齋詞話：白石詞以清虛爲體，而時有陰冷處，格調最高。

翠樓吟

淳熙丙午終，武昌安遠樓成，與劉去非諸友落之，度曲見志。余去武昌十年，故人有泊舟鸚鵡洲者，聞小姬歌此詞，問之，頗能道其事，還吳爲余言之。興懷昔遊，且傷今之離索也。

月冷龍沙，塵清虎落，今年漢酺初賜。新翻胡部曲，聽氈幕元戎歌吹。層樓高峙，看檻曲縈紅，檐牙飛翠。人姝麗，粉香吹下，夜寒風細。

此地宜有詞仙，擁素雲黃鶴，與君遊戲。玉梯凝望久，歎芳草、萋萋千里。天涯情味，仗酒祓清愁，花銷英氣。西山外，晚來還捲，一簾秋霽。

詞解 邊塞的月色一片清冷，護城的籬笆下塵土落定，今年朝廷賞賜犒勞了諸軍，允許他們聚飲。大軍的帳幕裏傳出一陣陣新譜寫的胡部樂曲，人人都在歡慶。同樣值得慶祝的是，武昌的安遠樓落成了。安遠樓高高聳峙，曲折縈迴的欄杆紅得鮮艷，牙狀的飛檐綠得分明。佳人站在樓上，脂粉的香氣在寒冷的夜裏被微風吹送到了遠方。

此時此地，應該有一位寫詞的仙人，擁著白雲騎著黃鶴，與人們一同遊戲。可是詞人在白玉階梯上久久凝望，卻見不到詞仙，衹望見萋萋芳草綿延千里。樂盡而愁生，詞人想到自己流落天涯，頓時感到愁不可遏。他衹能靠飲酒作樂來消除愁悶，廝混花間而消磨志氣。傍晚時分，捲起珠簾就能望見西山外的秋霽景色了。物換星移，人世變幻，詞人衹能悵然長歎。

杏花天影

丙午之冬，發沔口。丁未正月二日，道金陵。北望淮、楚，風日清淑，小舟掛席，容與波上。

綠絲低拂鴛鴦浦，想桃葉當時喚渡。又將愁眼與春風，待去，倚蘭橈、更少駐。

金陵路、鶯吟燕舞，算潮水知人最苦。滿汀芳草不成歸，日暮，更移舟、向甚處？

詞解 在柳絲低拂、鴛鴦嬉戲的水浦邊，詞人曾和愛人一同招呼船隻擺渡。如今又是春風拂柳的季節，詞人想起往事，觸景傷情，不禁滿心哀愁。他待要出發，卻又倚著船舷停留了一陣。這裏離他的愛人所在之地已不遠，他停舟眺望，實在不願再度離開。

在金陵城的道路上，黃鶯正快活地啼鳴，燕子正翩翩起舞，這歡樂的春景更觸動了他內心的愁苦。大概衹有終日奔流的潮水纔能理解他的心情，不斷叩擊船舷陪伴在他身邊。連綿的春草已長滿了江中的沙洲，正是離人歸家的日子，可他卻還不能回到愛人的身邊。日暮時分，船又繼續出發了，詞人終日漂泊，不知何時纔能與愛人團聚，他心裏充滿了悵惘和蒼茫之感，不禁要問：「這船兒啊，到底要把我載到什麼地方？」

點絳唇

丁未冬過吳松作

燕雁無心，太湖西畔隨雲去。數峰清苦。商略黃昏雨。 第四橋邊，擬共天隨住。今何許？憑闌懷古，殘柳參差舞。

詞解 俯仰天地間，北國的大雁似乎無心欣賞這美景，從太湖西畔隨著飄忽不定的流雲向天邊飛去。湖上幾座孤峰清寂愁苦，黃昏時分，正醞釀著一番雨意。

本打算留在甘泉橋畔，與唐人陸龜蒙相伴同住。但如今又怎麼樣呢？憑欄懷古，衹看見殘敗的楊柳隨風亂飄舞。

念奴嬌

客武陵，湖北憲治在焉。古城野水，喬木參天。余與二三友日蕩舟其間，薄荷花而飲，意象幽閑，不類人境。秋水且涸，荷葉出地尋丈，因列坐其下，上不見日，清風徐來，綠雲自動。間於疏處窺見遊人畫船，亦一樂也。朅來吳興，數得相羊荷花中。又夜泛西湖，光景奇絕。故以此句寫之。

鬧紅一舸，記來時嘗與鴛鴦爲侶。三十六陂人未到，水佩風裳無數。翠葉吹涼，玉容銷酒，更灑菰蒲雨。嫣然搖動，冷香飛上詩句。 日暮青蓋亭亭，情人不見，爭忍淩波去。衹恐舞衣寒易落，愁入西風南浦。高柳垂陰，老魚吹浪，留我花間住。田田多少，幾回沙際歸路。

詞解 這正是荷花盛開的時節，詞人在荷花叢中蕩舟，一路上看到水中一對對兒的鴛鴦伴著船兒戲水。這裏眞是荷花的世界，人跡罕至，衹有那看不見邊的荷塘，綠波蕩漾，荷葉翻飛。陣陣微風從那碧綠的荷葉間吹來，那鮮艷的荷花，好像美人的臉龐帶著酒意消退時的微紅。一陣密雨從水草叢中飄灑過來，荷花倩影娉婷，嫣然含笑，吐出幽幽冷香。

這美好的情景多麼使人難忘，然而時間在悄悄流逝，現在已是日暮時分，衹見那車蓋般的綠荷，亭亭玉立，如同那等候愛人的仙子，愛人久未出現，仙子欲去還留。衹怕西風起時，舞衣般嬌嫩的葉子經不住秋寒的冷酷而凋殘，更爲那無情的秋風將把南浦變成一片蕭索的景象而憂愁。還有那高高柳樹垂下綠陰，肥大的魚兒吐著泡泡，這一切，似乎都要挽留我住在荷花中間。茂密的荷葉，多得難以計算，可曾記得我多少回在沙堤旁邊的歸路上徘徊留戀？

琵琶仙

《吴都賦》云：「户藏煙浦，家具畫船。」唯吴興爲然。春遊之盛，西湖未能過也。己酉歲，予與蕭時父載酒南郭，感遇成歌。

雙槳來時，有人似、舊曲桃根桃葉。歌扇輕約飛花，蛾眉正奇絶。春漸遠、汀洲自綠，更添了幾聲啼鴂。十里揚州，三生杜牧，前事休説。

又還是、宫燭分煙，奈愁裏、匆匆换時節。都把一襟芳思，與空階榆莢。千萬縷、藏鴉細柳，爲玉尊、起舞回雪。想見西出陽關，故人初別。

詞解　江面上划來一隻小船，恍惚間，我覺得船上的人好像是我昔日的戀

人。她正在用手中的團扇輕輕扇去那在眼前飛舞的楊花，她美麗的容貌楚楚動人。春日漸漸遠去，汀洲慢慢轉爲綠色，時不時地能聽到幾聲悦耳的鳥鳴。回憶當年，在繁華似錦的揚州路，我放蕩不羈。如今往事早已成煙，思念也無用處。

又一年寒食時節，宫廷中恐怕又在分煙。無奈在我滿腹惆悵時，寒食節已經匆匆逝去。我衹能把滿腔幽怨付給榆莢，任它飛到空蕩蕩的石階前。千絲萬縷的細柳，隱藏了烏鴉的身影，那輕軟的柳絮好像在爲來去的客人舞蹈。憶起當年西出陽關，與伊人分別的情景，真是讓人欷歔不已。

淡黄柳

客居合肥南城赤闌橋之西，巷陌淒涼，與江左異。惟柳色夾道，依依可憐。因度此曲，以紓客懷。

空城曉角，吹入垂楊陌。馬上單衣寒惻惻。看盡鵝黄嫩綠，都是江南舊相識。

正岑寂，明朝又寒食。強攜酒、小橋宅。怕梨花落盡成秋色。燕燕飛來，問春何在？惟有池塘自碧。

詞解　拂曉時分，冷清的城中響起淒涼的音樂聲。那淒婉的聲音被風傳送

到楊柳依依的街頭巷尾。我獨自騎在馬上，衹穿一件單衣，便覺得陣陣寒氣襲來。看遍路旁的鵝黃嫩綠，都如同我在江南時見過那樣的熟悉。

正在孤單之間，偏偏明天又是寒食節。詞人也衹能如往常一樣帶上一壺酒，來到戀人住處。他生怕梨花落盡而成了一片秋色，於是詢問飛燕春光何在，可燕子無語，唯有池塘中的水是碧綠的。

惜紅衣

吴興號水晶宮，荷花盛麗。陳簡齋云：「今年何以報君恩，一路荷花相送到青墩。」亦可見矣。丁未之夏，予遊千巖，數往來紅香中，自度此曲，以無射宮歌之。

簟枕邀涼，琴書換日，睡餘無力。細灑冰泉，并刀破甘碧。牆頭喚酒，誰問訊、城南詩客。岑寂。高柳晚蟬，說西風消息。　虹梁水陌。魚浪吹香，紅衣半狼藉。維舟試望故國。眇天北。可惜渚邊沙外，不共美人遊歷。問甚時同賦，三十六陂秋色。

詞解　用涼席涼枕來消暑納涼，撫琴讀書來消磨時光，醒來後，睡意仍揮之不去，周身疲憊不堪。打來冰涼的泉水清洗瓜果，用鋒利的刀切開這

香甜新鮮的水果。透過牆頭，見借居城南的詩客在問鄰家可有酒。衹是無人回應，唯有一片寂靜。高高柳樹之顛，晚蟬鳴嘀，訴說著時序變遷、秋風將至的消息。

橋梁似臥波的彩虹，水邊的小徑蜿蜒曲折，魚兒歡快地戲水，吹起陣陣香波，紅荷凋零，荷衣凋敝。詞人繫舟登岸，試望那北方的故國，衹是目之所及，未能見也。可惜這水鄉的美景，卻不得與美人共同遊覽。試問何時纔能一起欣賞這三十六陂的荷花秋色？

章良能

小重山

柳暗花明春事深，小闌紅芍藥、已抽簪。雨餘風軟碎鳴禽，遲遲日、猶帶一分陰。　往事莫沉吟，身閑時序好、且登臨。舊遊無處不堪尋，無尋處、惟有少年心。

詞解　春末夏初，柳枝從嬌嫩的淺綠轉深轉暗，而此時花色卻更加明艷，小欄外的紅芍藥已含苞待放，好像一支支玉簪。天氣已暖，一場細雨過後，溫暖的春風吹拂在臉上，間或傳來一聲聲啼鳥的碎鳴，這寧靜和煦的春日

卻仍未完全從雨中走出，依然帶著一絲陰沉。在這種黃昏時分，天氣微陰，倦鳥歸林，細碎鳴禽，寧靜之中總帶來難以釋然的種種惆悵。

面對這美好的光景，詞人感歎莫要再沉吟往昔，要趁著身閑時序好，及時登臨賞玩。然而登臨之後，詞人的心情卻轉向了惆悵。舊時遊過之處，景色依舊，處處仍可重遊，然而少年時的豪情壯志卻已隨著時光而消逝，再也無處可尋了。放眼四望，春光將盡，再聯想到國事日非，詞人雖欲有所作爲而不可能，他不僅僅是在感慨歲月催人老，而且還含有抱負未伸的隱恨。

沈際飛草堂詩餘情暢語俊韻叶音調不見扭造此改之得意之筆

劉過

唐多令

安遠樓小集，侑觴歌板之姬黃其姓者，乞詞於龍洲道人，爲賦此。同柳阜之、劉去非、石民瞻、周嘉仲、陳孟參、孟容，時八月五日也。

蘆葉滿汀洲，寒沙帶淺流。二十年、重過南樓。柳下繫舟猶未穩，能幾日、又中秋。　黃鶴斷磯頭，故人今在不。舊江山、渾是新愁。欲買桂花同載酒，終不似、少年遊。

詞解　此詞爲重訪南樓，感舊傷懷之作。蘆葦落滿沙洲，寒沙帶著淺流，詞人二十年後重訪南樓，滿懷今昔滄桑之歎，這淒清的景色更增添了他的悲傷和寥落之感。他將船繫在柳樹下，再過幾天便是中秋佳節，正是登樓賞月的好時節，然而他這次衹是倉促路過，不能久留，行色匆匆，衹能望樓興歎，想重溫昔遊景況而不能，實在遺憾之至。

詞人睹景思人，那些舊日的朋友，現在都在何處呢？如今南宋國勢衰危，詞人望著眼前的大好江山，憂國之心讓他更感愁苦。他想買來桂花酒，重溫舊日冶遊的歡樂，然而佳節能在，美酒易得，但故人四散，少年的豪情已不復存在。物是人非，四顧蒼茫，這是多麼淒愴！

俞陛雲唐五代兩宋詞選釋明鏡照愁常語也作者寶奩七字古意深思獨標新警

嚴仁

木蘭花

春風衹在園西畔，薺菜花繁蝴蝶亂。冰池晴綠照還空，香徑落紅吹已斷。　意長翻恨遊絲短，盡日相思羅帶緩。寶奩如月不欺人，明日歸來君試看。

詞解　這是一首閨怨詞。春風在小園西畔吹拂著，薺菜花紛繁地開放著，蝴蝶在花間翩翩亂飛。明媚的陽光照耀著碧綠的池水，香徑上落滿了殘花。

況周頤蕙風詞話鮮翠流麗而已亦復膾炙人口

況周頤蕙風詞話鮮翠流麗而已亦復膾炙人口

這美麗的暮春風光，襯託出思婦的孤單和惆悵。她的青春正如落花一樣漸漸消逝，然而夫君不在自己身邊，連遊絲也不足以形容她深長的相思離愁。她終日思念遠人，憔悴消瘦，衣帶漸寬。像月亮一樣明亮的寶鏡不懂得欺騙人，她每日攬鏡自照，看著自己的面容日漸消瘦，不由內心愁苦難當。她等待著夫君早日歸來，看著她憔悴的容顏，瞭解她誠摯的相思和癡情。

俞國寶

風入松

一春長費買花錢，日日醉湖邊。玉驄慣識西湖路，驕嘶過、沽酒樓前。紅杏香中簫鼓，綠楊影裏鞦韆。 暖風十里麗人天，花壓鬢雲偏。畫船載取春歸去，餘情付、湖水湖煙。明日重扶殘醉，來尋陌上花鈿。

詞解 此詞描繪了南宋都城臨安西湖遊春圖。在大好春光之際，詞人花費了許多買花之錢，日日醉倒在西湖邊。因此他的玉驄馬也熟識了西湖路，嘶鳴著馳過酒樓前。聲聲簫鼓樂曲伴隨著紅杏花的芳香四處飄蕩，佳人在綠楊影裏蕩著鞦韆。

和暖的春風吹拂著大地，春光明媚，詞人將花朵簪在頭上，壓得鬢髮也偏了。人們在春遊西湖，縱情歡樂。等到天色將晚，暮色中畫船載著春光歸去，未盡的情致都留給了湖水和湖面上的水霧。詞人設想，明日酒醉醒後再來西湖，尋找今日遊玩時丟失的花鈿首飾。詞人描寫西湖春遊，將繁華、風流的景象融入湖光春色中，令人心醉神往。

張鎡

滿庭芳・促織兒

月洗高梧，露溥幽草，寶釵樓外秋深。土花沿翠，螢火墜牆陰。靜聽寒聲斷續，微韻轉、淒咽悲沉。爭求侶，殷勤勸織，促破曉機心。 兒時曾記得，呼燈灌穴，斂步隨音。任滿身花影，猶自追尋。攜向華堂戲鬥，亭臺小、籠巧妝金。今休說，從渠床下，涼夜伴孤吟。

詞解 這是一首詠蟋蟀的詞作。月光似水，照耀著高高的梧桐樹，草地上凝著清露，樓外已是秋寒夜深。青苔長到牆邊，螢火蟲在牆陰裏飛來飛去。在一片蕭瑟安靜之中，詞人聽見蟋蟀悲涼沉咽的鳴叫聲，那聲聲啼鳴好像在催促女子紡織。

李日華紫桃軒雜綴張功甫豪侈而有清尚嘗來吾郡海鹽作園亭自恣令歌兒衍曲務爲新聲所謂海鹽腔也

詞人追憶往事，曾記得兒時，他提著燈用水灌的方法捕捉蟋蟀，收住腳步尋聲前行，在花叢中追逐蟋蟀，將蟋蟀裝在用金子裝飾的小巧籠子裏，帶到華麗的堂屋去鬥蟋蟀。這些捉蟋蟀、鬥蟋蟀的情景，饒有情趣，流露出詞人對童年趣事的幸福感受。而如今，蟋蟀又在床下鳴叫，好像是極富人情味和同情心，陪伴著獨自吟詠詩詞的詞人。借無情之物慰藉有情之人，微妙地表達出詞人現在的孤獨和寂寞。

宴山亭

幽夢初回，重陰未開，曉色催成疏雨。竹檻氣寒，蕙畹聲搖，新綠暗通南浦。未有人行，纔半啓，迴廊朱戶。無緒，空望極霓旌，錦書難據。

苔徑追憶曾遊，念誰伴鞦韆，彩繩芳柱。犀簾黛捲，鳳枕雲孤，應也幾番凝佇。怎得伊來，花霧繞、小堂深處。留住，直到老、不教歸去。

詞解 此爲抒寫相思離情之詞。幽夢初醒，窗外的庭院漆黑冷寂，天上陰雲密佈。破曉時分，陰雲化爲寒雨，稀稀疏疏，綿綿不絕。這蕭瑟的景色渲染出幽夢初醒後庭院的冷落和思婦淒寂的心情。空氣中充斥著微微的寒意，

雨滴打在竹檻旁邊栽滿香草的園圃裏。新淌的綠溪暗暗通向思婦與情侶告別的南浦，觸發了思婦對遠人的思念。她推開迴廊上半扇朱紅的窗戶，還不見良人歸來，衹好空望天上的朝霞。她滿腹相思欲向他傾訴，卻難以依靠書信傳遞，因爲情侶杳無蹤跡，書信無處可寄。

思婦獨自踏過生著苔蘚的小徑，追憶著舊日與伴侶搖蕩鞦韆的嬉戲情景。而今鞦韆棄置一邊，唯見彩繩空自搖曳。獨守空閨的她，捲簾眺望情人而不見，夜夢情人亦無蹤，深切的思念讓她推想情侶也應該像她一樣，多少回凝神佇望，以凝想傳遞眞情。她心中設想，當情侶歸來之時，花香如霧氣繚繞在庭院深處，她要以這團聚後溫馨、纏綿的歡愛氛圍留住他，直到彼此都老去也不讓他離開。全詞敘事抒情，將今日、往昔與未來三個不同時空的情事交錯相映，情感熱烈而眞摯。

史達祖

綺羅香・詠春雨

做冷欺花，將煙困柳，千里偷催春暮。盡日冥迷，愁裏欲飛還住。驚粉重、蝶宿西園，喜泥潤、燕歸南浦。最妨他、佳約風流，鈿車不到杜

玉林詞話：句句清雋可思，好在結二語寫得幽閒貞靜，自有身份，怨而不怒。

陵路。

沉沉江上望極，還被春潮晚急，難尋官渡。隱約遙峰，和淚謝娘眉嫵。臨斷岸、新綠生時，是落紅、帶愁流處。記當日、門掩梨花，剪燈深夜語。

詞解 這是一首詠春雨的詞作。陣陣春雨增添了寒意，使花不能開放，又化作煙雨籠罩著柳樹，不知不覺地就催著春天到了暮春時節。細絲般的春雨終日淒迷，觸發了人們的愁思。春雨霑濕了蝴蝶的翅膀，蝴蝶感到翅膀沉重，於是棲息在西園裏。春雨也潤濕了泥土，燕子喜悅地飛回了南浦。這春雨也妨礙了詞人外出春遊，令他的車馬走不到杜陵路上。詞人曾多少次見過春雨，感受過春雨，因此心有所悟，從多角度地描繪出春雨近景。

詞人站在江邊極目遠望，衹見江水茫茫，帶著春潮急流，淹沒了渡口。雨中的遠山，就像佳人含淚時的秀眉。絕壁邊，新綠生長之時，正是落紅帶著春愁隨波流過的地方。詞人不由想起當初，春雨吹打著梨花，自己關上門與愛人深夜私語的情景。全詞描寫春雨而不見「雨」字，巧妙地將情思融入到景物描寫之中，婉轉精美，不露痕跡。

黃蓼園蓼園詞選：詞旨倩麗，句句熨貼，匠心獨造，不愧清新之目。

雙雙燕·詠燕

過春社了，度簾幕中間，去年塵冷。差池欲住，試入舊巢相並。還相雕梁藻井，又軟語、商量不定。飄然快拂花梢，翠尾分開紅影。芳徑，芹泥雨潤。愛貼地爭飛，競誇輕俊。紅樓歸晚，看足柳昏花暝。應自棲香正穩，便忘了、天涯芳信。愁損翠黛雙蛾，日日畫闌獨憑。

詞解 這是一篇詠雙燕的詞作。又是一年的春社時分，燕子於陽春時節飛回舊宅。庭院之中，無數簾幕之間，屋梁上全都落滿了灰塵，頗感淒冷。燕子猶豫不決，四處張望雕梁畫棟，辨認舊巢的標記，想要一起住入舊巢。竊竊私語商量之後，它們飄然地快速掠過花梢，投宿到故巢。

留居後的生活美滿幸福，在香花芳草叢中的小路之上，燕子雙雙啣著水邊種植芹菜的泥土修巢，貼地飛翔，仿佛競相誇耀彼此輕俊的身形，觀花賞柳，流連郊原，天晚歸巢雙棲，安穩甜美。雙燕陶醉於幸福中，忘記捎回遠方佳音，害得佳人愁鎖雙眉，一天天獨倚著畫樓欄杆期盼意中人。這首詞將燕子擬人化，描寫它們如同一對熱戀的情人雙宿雙飛，而與佳人對照，透露人間的離愁別恨。全詞句句寫燕，而不出「燕」字，卻處處使人看到燕子的動王國維人間詞話：周介存謂梅溪詞中喜用偷字，足以定出其品格。劉融齋謂：周旨蕩而史意貪，此二語令人解頤。

作、形態、情韻、手法的巧妙令人叫絕。

東風第一枝・春雪

巧沁蘭心，偷粘草甲，東風欲障新暖。漫凝碧瓦難留，信知暮寒輕淺。行天入境，做弄出、輕鬆纖軟。料故園、不捲重簾，誤了乍來雙燕。

青未了、柳回白眼，紅欲斷、杏開素面。舊遊憶著山陰，後盟遂妨上苑。寒爐重熨，便放漫、春衫針綫。恐鳳靴、挑菜歸來，萬一灞橋相見。

詞解 這是一首詠春雪的詞作，詞人借其他自然物象與人事典故相映襯，描寫春雪種種情態。細密的春雪巧妙地沁在蘭心上，偷偷粘在草甲中，讓春風中又多了一絲寒冷。然而春意漸濃，春雪轉瞬便要消融，難以長久地留在屋頂的琉璃碧瓦上。鬆軟的春雪覆蓋了大地，天地萬物都顯得澄澈、明淨，構成了一種虛明之境。詞人從眼前的春雪遙想故園，料想故園一定也是春雪降寒，重重簾幕未捲，錯阻了初歸的雙燕。

在春雪中，青翠的柳葉宛如露出了白眼，鮮紅的杏花仿佛滿面素白。「白眼」、「素面」描畫出春雪粘附在柳葉、杏花上，處處素白的形態。詞人由春雪之景想起了歷史上王徽之及司馬相如踏雪清遊的雅事，表達出雪中情趣。春天已來臨，然而春雪使閑置不用的熏爐重又點起，做春衫的針綫可以放慢。祇怕即使到了挑菜節，仍是寒氣未退，春雪說不定還會降臨，詞人便會像鄭綮一樣，在灞橋風雪中感悟詩思了。全詞無一字道出「雪」，卻又無一字不在寫雪，顯得情致婉約，清空脫俗。

張鎡梅溪詞序：史生詞織綃泉底，去塵眼中，妥帖輕圓，辭情俱到。

三姝媚

煙光搖縹瓦，望晴檐多風，柳花如灑。錦瑟橫床，想淚痕塵影，鳳絃常下。倦出犀帷，頻夢見、王孫驕馬。諱道相思，偷理綃裙，自驚腰衩。

惆悵南樓遙夜，記翠箔張燈，枕肩歌罷。又入銅駝，遍舊家門巷，首詢聲價。可惜東風，將恨與、閑花俱謝。記取崔徽模樣，歸來暗寫。

詞解 本詞爲悼念亡妓之作。暮春時節，天氣晴好，詞人站在屋檐底下，春風徐徐，煙光在琉璃瓦之間閃爍著，柳絮四處飄飛，正像他那繚亂的愁緒一般雜亂無章。詞人在滿懷思緒之中，看著熟悉而陌生的錦瑟和睡床，推想曾經的戀人，一定常常和著淚痕，彈著錦瑟思念自己，因爲相思而黯然神傷，神思慵懶，頻頻在夢中夢見情郎騎馬前來。她害怕別人說自己相思成疾，偷偷整理衣裙，卻吃驚地發現，自己早已是人瘦衣寬。

詞人想起南樓長夜、張燈歌舞的情景，心中不由得惆悵萬分。他在臨安城挨家挨戶地四處打聽戀人的下落，可惜得到的消息卻是，花飄零，人已歿。東風將她的相思怨恨與閑花一齊帶走了！詞人衹能在心中默想思念她的模樣，暗暗神傷。本詞由今及昔，推想昔人之淚、昔人之夢，甚至昔人思念己而「自驚腰衩」之態，從中也可看出詞人對戀人的刻骨相思。

秋霽

江水蒼蒼，望倦柳愁荷，共感秋色。廢閣先涼，古簾空暮，雁程最嫌風力。故園信息，愛渠入眼南山碧。念上國。誰是、膾鱸江漢未歸客。

還又歲晚、瘦骨臨風，夜聞秋聲，吹動岑寂。露蛩悲、清燈冷屋，翻書愁上鬢毛白。年少俊遊渾斷得，但可憐處，無奈苒苒魂驚，採香南浦，剪梅煙驛。

俞陛雲唐五代兩宋詞選釋下閱冷屋攤書故交零落雖剪梅彩綠風物依然而俊遊雲散惟孤秀自馨耳

詞解　江水蒼蒼，詞人望著枯柳殘荷，他的心裏就像這蕭瑟的秋天一樣充滿了悲涼。廢棄的閣樓讓人更感秋涼，詞人捲起古簾遙望暮色，衹見一行大雁正疲倦地飛過去，詞人流貶江漢，正如遠飛的孤雁在猛勁的風力中顛沛流離。詞人回想起故園的山水和繁華的京城，備感眷戀和懷念，但他流落江漢，不知什麼時候纔能回到魂牽夢縈的家園。

又到了歲末秋寒的時節，詞人流貶多年，憔悴消瘦，他站在晚風中，聽到一聲聲淒切的秋聲，心中感到無限的孤寂和淒苦。夜露中蟋蟀叫得悲戚，一盞孤燈照著冷屋裏，詞人翻著書禁不住愁腸滿腹，以至於愁染鬢斑。詞人不禁懷念起故人，但自流貶之後，往日俊逸的遊伴全都杳無音信，他本已十分孤獨了，可是還要在南浦採擷香草送別，在輕煙籠罩的驛館剪梅贈寄，總之，多少次客中送客，使他深深感到離家去國的況味，神魂驚悸，一片茫然無奈。

夜合花

柳鎖鶯魂，花翻蝶夢，自知愁染潘郎。輕衫未攬，猶將淚點偷藏。念前事，怯流光，早春窺、酥雨池塘。向消凝裏，梅開半面，情滿徐妝。

風絲一寸柔腸，曾在歌邊惹恨，燭底縈香。芳機瑞錦，如何未織鴛鴦？人扶醉，月依牆，是當初、誰敢疏狂！把閑言語，花房夜久，各自思量。

俞陛雲唐五代兩宋詞選釋下闋謝娘之句哀感頑艷白石翁稱其奇秀此七字足當之

詞解 此詞爲春閨思婦怨傷之作。黃鶯棲息在柳樹上，蝴蝶在花叢中翻飛，閨中思婦觸物傷情，見到這美麗的春景產生了惆悵之情，她的愁傷都是爲了思念情郎。她的輕衫還沒有攬起，猶自藏著相思的淚點。回想從前與情郎相處之時，因爲害怕春光流逝，他們及時遊賞春光，早春時悄悄去窺望酥雨飄灑的池塘。她精心梳妝，然而美好青春如此虛度，怎麼能不爲情郎不歸而感到愁怨呢？

她那如同風中遊絲一般纏綿的柔腸，曾經因聽到歌聲而傷懷，也曾因獨對燭光而感到淒涼。縱然有精緻的織機和華麗的錦緞，她也無法像蘇蕙一樣織錦寫就迴文詩，寄給遠方的情郎。她想與情郎鴛鴦成雙，可是今日卻勞燕分飛，她衹能處在孤獨和遺憾中。追憶當初，她與情郎在月夜裏幽會，她扶著陶然欲醉的身子赴約，兩人見面後，都拘謹自持，不敢疏狂，衹扯些閑言碎語，似乎各自想著自己的心事。初次幽會給她留下了深刻而甜蜜的回憶，昔日的歡會更反襯出今日的悲愁，讓她柔腸寸斷。

玉蝴蝶

晚雨未摧宮樹，可憐閑葉，猶抱涼蟬。短景歸秋，吟思又接愁邊。

漏初長、夢魂難禁，人漸老、風月俱寒。想幽歡、土花庭甃，蟲網闌干。 無端啼蛄攪夜，恨隨團扇，苦近秋蓮。一笛當樓，謝娘懸淚立風前。故園晚、強留詩酒，新雁遠、不致寒暄。隔蒼煙、楚香羅袖，誰伴嬋娟？

詞解 黃昏時分，秋雨吹打著宮樹，可憐秋蟬還抱著疏葉。這蕭瑟的秋景，觸發了詞人的悲秋詩興，他的吟思與愁緒相接。長夜漫漫，詞人難以入眠，他不禁感歎自己年歲已老，清秋的風月之景衹讓他感到寒冷。本詞上下兩闋以寫景爲主，以景起興，情因景生，景隨情變。上闋悲秋傷老。追憶往昔，他與情侶幽歡密愛，昔日的歡樂更襯托出如今悲秋的淒愁。

在這寒夜裏，詞人心緒煩亂，螻蛄的悲啼更讓他夜不成寐，詞人感到自己如同秋日被棄的團扇和枯萎的荷花一樣處境淒涼。詞人在苦恨交加之下，遙想遠方的情侶，她一定正獨登空樓吹笛，垂淚站在夜風中。借情侶思念自己的情景寫出自己對情侶的深切相思。詞人不能返回故園，衹能強留詩酒作樂，而傳書的鴻雁相隔遙遠，詞人無法託它傳達自己的問候。詞人對自己不能安慰情侶的離愁而感到愧疚和悵恨，不禁懸想她隔著蒼煙，孤獨無依，

楊慎詞品有後村別調一卷大抵直致近俗效稼軒而不及也

誰來伴她共賞明月呢？詞人傾訴了對遠方情侶孤獨無伴的關切，也寫出自己淪落他鄉的傷懷之情，情味深長淒婉，感人至深。

劉克莊

賀新郎・端午

深院榴花吐，畫簾開、綀衣紈扇，午風清暑。兒女紛紛誇結束，新樣釵符艾虎。早已有、遊人觀渡。老大逢場慵作戲，任陌頭、年少爭旗鼓。溪雨急，浪花舞。

靈均標緻高如許。憶生平、既紉蘭佩，更懷椒醑。誰信騷魂千載後，波底垂涎角黍。又說是、蛟饞龍怒。把似而今醒到了，料當年、醉死差無苦。聊一笑，弔千古。

詞解　這是一首敘寫端午民俗、憑弔屈原的詞作。又是一年的端午時節，紅艷的石榴花綻放在深深的庭院之中。端午節暑而不熱、暑而風清，身穿粗布衣服的遊人，手執紈扇，紛紛走出畫簾，四處遊玩。春天來了，年輕男女也出來了，人人都頭插釵頭符，身帶艾虎符來辟邪，以此點染節日喜慶氣氛。早已有人早早地等在河岸邊，等待觀看龍舟爭賽。詞人懶於參加這種嬉遊的活動，任憑年輕的兒郎在急流的浪花飛舞之中，彼此爭奪旗鼓。

想那屈原在世之時，衣蘭佩荷，品德高雅，高風亮節，超群脫俗。誰曾相信，千年之後，置身江底的屈原的魂靈會垂涎於粽子呢？關於賽龍舟，還有說法是河底蛟龍因為饞嘴想要吃粽子，如果人們不敬上粽子，它就會大怒。假如詩魂屈原今日醒來，一定以為當年醉死會比今日少很多痛苦。在此憑弔千古，不過是聊為一笑罷了。詞人在上闋心平氣和地描述了端午節最具代表性的景象，到了下闋情緒急轉直下，對世俗之人表達了自己的憤怒心情。

賀新郎・九日

湛湛長空黑，更那堪、斜風細雨，亂愁如織。老眼平生空四海，賴有高樓百尺。看浩蕩、千崖秋色。白髮書生神州淚，盡淒涼、不向牛山滴。追往事，去無跡。

少年自負凌雲筆，到而今、春華落盡，滿懷蕭瑟。常恨世人新意少，愛說南朝狂客，把破帽、年年拈出。若對黃花孤負酒，怕黃花、也笑人岑寂。鴻去北，日西匿。

詞解　此詞為重陽節登高抒懷之作。詞人登高遠望，祇見湛湛長空陰雲密佈，更何況斜風夾雜著細雨迎面撲來，讓人更加愁緒如織。少年時代的詞人，豪情壯志，平生以四海爲己任，想要像劉備卧百尺樓一般，胸中懷著報國的大志。抬眼一望，滿山秋色，天地浩蕩，詞人壯志未酬已是兩鬢白髮，不禁爲神州的殘破淪喪而極度痛苦，灑下傷心的眼淚。他歎息自己不久將會死去，回想往事，一切已是了無痕跡。

年少時的詞人，恃才放曠，想要報效國家，以天下興亡爲己任。到如今，卻是春花凋落殆盡，人已老不堪用，滿懷的蕭瑟悲涼。他常常遺憾世人缺乏新意，每次都衹會讚美古人，年年把關於「破帽」的故事拿出來談論讚嘆不休。詞人想到，如果對著菊花飲悶酒，怕那菊花也會嘲笑自己的孤單冷寂，因此他借菊花自振，表現出不辜負菊花的逸興，頗見詞人豪曠的性情。詞人賞菊飲酒，目送飛鴻北去，心向故國神州，意餘言外，令人尋味不盡。全詞寫景寓情，叙事感懷，今昔交映，兼融家國之恨，意象淒瑟，既豪放，又深婉。

陳廷焯白雨齋詞話：慷慨激烈，髮欲上指。詞境雖不高，然足以使懦夫有立志。

木蘭花·戲林推

年年躍馬長安市，客舍似家家似寄。青錢換酒日無何，紅燭呼盧宵不寐。　易挑錦婦機中字，難得玉人心下事。男兒西北有神州，莫滴水西橋畔淚。

詞解　一個七尺男兒，年年躍馬在長安城中，把客舍當作自己的家，而家卻像客舍一樣。好男兒志在四方，遊蕩在外本也無可厚非，但是如果終日無所事事，衹知道狂飲濫賭，那就會虛度青春，浮華浪蕩。詞人以戲謔的文字傳達了他對友人的惋惜之情。

青樓女子的逢場作戲，怎麽能與妻子對丈夫的思念和深情相比呢？況且，男兒應該以復國興邦的大業爲重，不應該流連於風月場所。詞人從家庭和國家兩方面來開導和激勵友人的社會責任感和思想境界，對友人發出了正面的規勸，既委婉而又嚴厲。

盧祖皋

楊慎詞品：蒲江詞一卷，樂章甚工，字字可入律呂。

江城子

畫樓簾幕捲新晴，掩銀屏，曉寒輕。墜粉飄香，日日喚愁生。暗數十年湖上路，能幾度，著娉婷。　年華空自感飄零，擁春酲，對誰醒？天闊雲閑，無處覓簫聲。載酒買花年少事，渾不似、舊心情。

詞解　暮春時分，雨過天晴，輕輕捲起小樓的簾幕，空氣中仍有絲絲寒意，轉而又掩上銀屏來抵禦寒意。一場風雨過後，花兒紛紛飄落，殘留在空氣中的香味，時時喚起詞人鬱積在心底的哀愁。他在心中暗數，十多年來在船上漂泊東西，不覺青春已逝。

如今詞人衹能獨自感慨，歲月蹉跎、漂泊零落，他借酒澆愁，酒醒之後有誰與他爲伴？詞人衹感到深深的孤獨，抬頭遠望，天闊雲閑，他該去哪兒纔能找到那個曾經一起歡笑的人呢？他想要學年少的時候，載酒買花，卻怎麼也找不回曾經的心境。全詞寓情於景，對人生的悲歡離合與今昔身世之變作了眞切的反思，深婉而自然。

宴清都

春訊飛瓊管，風日薄，度牆啼鳥聲亂。江城次第，笙歌翠合，綺羅香暖。溶溶澗淥冰泮，醉夢裏、年華暗換。料黛眉、重鎖隋堤，芳心還動梁苑。　新來雁闊雲音，鸞分鑒影，無計重見。春啼細雨，籠愁淡月，恁時庭院。離腸未語先斷，算猶有、憑高望眼。更那堪、芳草連天，飛梅弄晚。

詞解　春天到來的消息從簫管中傳出，風兒越來越柔和，隔著院牆，嘰嘰喳喳的鳥叫聲不絕於耳。頃刻之間，江城裏歌女歌舞不斷，滿城的春色絢麗而溫馨。山澗裏冰塊逐漸融化，水流淙淙，在醉夢之間，時光已暗暗轉換，不覺已是暮春時節。料想中原故土，現在隋柳已綠，梁苑花開。這句暗寓了詞人對中原的眷念與悲感。

最近已聽不到大雁的叫聲，故國故友音信全無。與故國故友匆匆分別，今生怕是無法再相會了。濛濛的細雨像春天在哭泣，淡淡月色像被憂愁所籠罩，一片淒清悲涼，詞人獨守著此時的庭院。相思離愁在詞人心中不斷鬱積，還沒開口，已是肝腸寸斷，就算是登高望遠以舒懷，也無法消釋內心的離恨。更何況，在黃昏時分登高遠望，看見芳草連天、梅花飄零的淒涼景象。詞人以景結情，表達出無限深長的離愁別恨。

潘牥

南鄉子

題南劍州妓館

生怕倚闌干，閣下溪聲閣外山。惟有舊時山共水，依然，暮雨朝雲去不還。　應是躡飛鸞，月下時時整佩環。月又漸低霜又下，更闌，折得梅花獨自看。

黃蓼園《蓼園詞選》：詞致俊雅，故自不同凡艷。

陸輔之詞旨
對菱花與說
相思看誰瘦
損警句

詞解 此詞爲懷人之作。詞人重訪南劍舊地，最怕的就是獨倚危欄，山閣下的溪水聲和閣外的青山都會讓詞人想起當年他與戀人一同玩賞溪山雲雨的歡樂生活。如今山水依舊，然而物是人非，曾經的快樂生活已經雲消雨散，一去不返，留給詞人的衹有孤獨與失落之痛。

詞人想象，他與戀人雖是勞燕分飛，但她應該像秦穆公小女弄玉一般乘鸞鳳成仙而去，像王昭君一般遠嫁匈奴，魂歸故里。月兒漸漸西沉，寒霜飄落，詞人獨居空閣，徹夜難眠。他折下梅花想贈給戀人，可是不知她身在何方，詞人衹能獨自賞看梅花。淒清的景色，流露出詞人的癡情與哀愁。

陸叡

瑞鶴仙

濕雲黏雁影，望征路愁迷，離緒難整。千金買光景，但疏鐘催曉，亂鴉啼暝。花悰暗省，許多情、相逢夢境。便行雲、都不歸來，也合寄將音信。　孤迥，盟鸞心在，跨鶴程高，後期無準。情絲待剪，翻惹得，舊時恨。怕天教何處，參差雙燕，還染殘朱剩粉。對菱花、與說相思，看誰瘦損？

詞解 此詞爲思婦閨怨之作。天空陰沉，雨雲粘連，大雁貼雲滯飛，思婦遙望著離人遠去的道路，心中迷離沉鬱，思緒紛雜。自從分別以後，她度日如年煎熬難遣，想以千金買來快樂的生活，使自己展顏歡笑，然而美好的生活又豈是金錢可以買到的呢？遊子在外尋歡作樂，思婦卻深深地思念著他，期待在夢境裏與他相逢。然而遠行的遊子好似浮雲一般遲遲不歸，甚至連封家書也不曾寄回。

如今衹剩下思婦孤孤單單，仍信守著曾經的山盟海誓，良人卻早已爲了自己的前途利益，遠行而去，不知何時纔能重聚。她想要痛下決心剪斷情絲，不再爲了遠人而消瘦憔悴，反而愈發引起了舊日鬱積的離愁別恨。她感歎不知道老天什麼時候纔讓他們相會，像參差雙燕一般幸福隨行，但願那時候的自己，還能擁有今日的美貌。攬鏡自照，她覺得鏡中的自己仍是如往日一般青春快樂，誰說她因相思而憔悴的？最後一筆實在是奇妙，將思婦苦極恨極，自怨自艾以發泄對薄情人哀怨的心情，寫得極爲微妙深婉。

陳洵海綃說詞擊首則尾應擊尾則首應擊中間則首尾皆應陣勢奇變極矣

吳文英

澡蘭香・淮安重午

盤絲繫腕，巧篆垂簪，玉隱紺紗睡覺。銀瓶露井，彩箑雲窗，往事少年依約。爲當時、曾寫榴裙，傷心紅綃褪萼。黍夢光陰，漸老汀洲煙箬。

莫唱江南古調，怨抑難招，楚江沉魄。薰風燕乳，暗雨梅黃，午鏡澡蘭簾幕。念秦樓、也擬人歸，應剪菖蒲自酌。但悵望、一縷新蟾，隨人天角。

詞解　回想青春時代，詞人與愛人歡聚共度端午佳節，她將五彩盤絲繫在手腕上，頭戴符篆的小簪，在青色的紗帳裏小憩。他們在露井前或是華堂裏歡宴，環境美好，人也青春年少，那時的賞心樂事給詞人留下了無比甜蜜的回憶。然而美景無常，詞人看見似紅綃裙般的石榴花已開始凋落，不由感到傷心惆悵。時光飛逝，人生易老，有如黃粱一夢，汀洲上的嫩蒲轉眼衰殘，令人更感沉重。

詞人客居淮安，他不願聽到哀怨的江南舊調，那爲屈原招魂的歌曲衹會觸動他漂泊不歸的悵惘和無奈。看到家家簾幕低垂，詞人不由想象家鄉端午乳燕新生，梅雨濛濛，正午蘭湯沐浴的風俗。遙想家中的愛人一定也在盼望自己歸來，現在她衹能在端午佳節獨自斟飲。她的等待衹是徒然，她也衹能同詞人一樣，望著天邊的新月，苦苦相思。

許昂霄詞綜偶評愁草瘞花銘琢句險麗惆悵雙鴛不到幽階一夜苔生此則漸近自然矣

風入松

聽風聽雨過清明，愁草瘞花銘。樓前綠暗分攜路，一絲柳、一寸柔情。料峭春寒中酒，交加曉夢啼鶯。

西園日日掃林亭，依舊賞新晴。黃蜂頻撲鞦韆索，有當時、纖手香凝。惆悵雙鴛不到，幽階一夜苔生。

詞解　此詞爲清明西園懷人之作。風雨聲中，又過了清明時節，轉眼春天將盡。詞人傷春傷別，懷念愛人，甚至連詠落花的詩詞也不敢題寫，害怕觸動了心中的孤淒和沉痛。高樓前當時兩人分別的路上，如今綠樹成陰，遮蔽了陽光，一絲柳條便是詞人的一寸柔情。離別以後，詞人在寒冷的春天飲酒成病，早晨夢醒衹聽見一片鶯啼。

雨過春晴，詞人每日都和從前一樣掃林觀賞。他看見黃蜂頻頻撲向鞦韆索，不由引起聯想：蜜蜂慣於尋香，那鞦韆索上大概還留有愛人纖手的餘

陳洵海綃說詞通體離合變幻一片淒迷細繹之正字字有脈絡然得其門者寡矣

香吧。愛人蹤跡渺茫，再也不能來到西園，一夜之間幽階上便長滿了青苔。這青苔不祇生於幽階，也是發於心田，詞人對愛人的癡情思念和無盡悲苦盡在其中，哀婉動人。

鶯啼序・春曉感懷

殘寒正欺病酒，掩沈香繡戶。燕來晚、飛入西城，似說春事遲暮。畫船載、清明過卻，晴煙冉冉吳宮樹。念羈情、遊蕩隨風，化爲輕絮。

十載西湖，傍柳繫馬，趁嬌塵軟霧。溯紅漸、招入仙溪，錦兒偷寄幽素。倚銀屏、春寬夢窄，斷紅濕、歌紈金縷。暝堤空，輕把斜陽，總還鷗鷺。

幽蘭旋老，杜若還生，水鄉尚寄旅。別後訪、六橋無信，事往花委，瘞玉埋香，幾番風雨。長波妒盼，遙山羞黛，漁燈分影春江宿，記當時、短楫桃根渡。青樓仿佛，臨分敗壁題詩，淚墨慘淡塵土。

危亭望極，草色天涯，歎鬢侵半苧。暗點檢、離痕歡唾，尚染鮫綃，嚲鳳迷歸，破鸞慵舞。殷勤待寫，書中長恨，藍霞遼海沈過雁，漫相思、彈入哀箏柱。傷心千里江南，怨曲重招，斷魂在否？

詞解　暮春時節，殘寒襲人，詞人病酒醉眠，閉門不出。然而燕子卻不時飛入西城，似乎在告訴詞人春天已經快要過去了。詞人終於乘著畫船出來遊玩了，可清明佳節已過，祇見晴煙冉冉，宮樹青青。詞人在湖中看到岸上的煙柳，他羈旅在外的愁思和離情仿佛都化爲輕絮，隨風飄蕩，不知歸於何處。

追憶往昔客遊西湖十載間與情人的艷遇歡情，詞人曾在柳旁繫馬，登舟划過仙境一樣的西湖，通過侍婢傳書通情，與情人幽會。她倚在銀屏邊，兩人初遇時悲喜交加，喜極而泣，眼淚霑濕了歌扇和金縷衣。兩人日夜廝守，過著甜蜜的生活。

如今暮春又至，詞人仍然客居他鄉，自從與情人離別以後，他重訪西湖，然而祇見到暮春風雨埋葬殘花景象，他的情人已遭到不測而香消玉殞。美麗的山水就像佳人的眉眼，詞人在漁燈倒影的春江上住宿，想起當年在桃根渡訣別的情景。他重訪青樓題詩破壁，睹物懷人，潸然淚下。

詞人站在高亭上極目遠望，祇見萋萋芳草綿延到天邊，不由感歎歲月流逝，自己已鬢髮斑白、年老愁深。他故地重遊，尋覓舊日與情侶同遊的遺蹤，

朱祖謀彊村老人評詞下半闋待憑信拌分鈿試挑燈欲寫還依不忍箋幅偷和淚捲力破餘地

然而就像孤鳳迷路不返、離鸞孤殘不舞，情人已經亡故，他們再也不能團聚。他想寄相思書信以訴長恨，可是人間與幽冥如隔茫茫大海，鴻雁難渡；他想借哀箏怨曲以吐相思，然而斷魂縹緲，難以覓尋，衹能徒增哀痛。本闋以開闊之境寫長恨之情，流露出綿綿無絕的傷離悼亡之情，最後以招魂古曲收束全詞，更顯沉鬱凝重。

瑞鶴仙

晴絲牽緒亂，對滄江斜日，花飛人遠。垂楊暗吳苑，正旗亭煙冷，河橋風暖。蘭情蕙盼，惹相思、春根酒畔。又爭知、吟骨縈銷，漸把舊衫重剪。　淒斷，流紅千浪，缺月孤樓，總難留燕。歌塵凝扇，待憑信，拚分鈿。試挑燈欲寫，還依不忍，箋幅偷和淚捲。寄殘雲、剩雨蓬萊，也應夢見。

詞解　明媚的春日裏，繚亂的遊絲引起了詞人愁緒紛繁，對著滄江落日，他想起昔日伴他遊賞暮春的愛人，而今她已如飄飛的落花一樣離他遠去。垂楊的綠蔭遮蔽著宮苑，煙冷風暖，酒樓與河橋遠近相映。詞人見到眼前的景色，回憶起昔日與愛人共同遊賞的情狀，那清雅的情懷、純美的眼波讓詞人至今仍然深深地思念著。這相思是如此濃烈，詞人已形銷骨立、衣帶漸寬。落花隨水東流，殘月孤樓難以留住燕子，在滿懷相思的詞人看來，暮春的景象總是這樣淒涼。他深切的懷念愛人，因此也設想離別之後她對自己的種種相思痛楚之情：她一定無心再歌舞尋歡，衹打算通過寫信來傾訴情懷，又將金釵分開來表達自己的癡心。她挑燈欲寫，然而滿懷相思難以訴說，衹好和著眼淚把信箋捲了起來。她欲將離別後仍保存在心裏的情愛寄向當年歡會眷愛的蓬萊仙境，然而她心知現實已無可能，衹好幻想在夢中能重溫昔日的歡樂！詞人以設想愛人來表達自己的心境，用虛設之筆收束全詞，更加淒苦無奈。

陳廷焯白雨齋詞話若夢窗詞合觀通篇固多警策即分摘數語每自入妙何嘗不成片段耶

鷓鴣天·化度寺作

池上紅衣伴倚闌，棲鴉常帶夕陽還。殷雲度雨疏桐落，明月生涼寶扇閑。　鄉夢窄，水天寬，小窗愁黛淡秋山。吳鴻好爲傳歸信，楊柳閶門屋數間。

詞解　詞人獨倚欄杆，陪伴他的衹有池塘中的紅蓮，黃昏時分，衹見暮歸的烏鴉在餘暉中還巢。烏雲化作陣雨，梧桐樹疏落的樹葉在風雨中片片飄

尹煥夢窗詞敘求詞於吾宋者前有清真後有夢窗此非煥之言四海之公言也

零。雨停之後，明月照耀大地，涼氣隨之而生，寶扇便被閑置在一旁。這一幅夕陽斜映、陰雲驟雨的黃昏景象喚起了詞人內心淒苦的回憶，引發了懷人的相思之情。

歸鄉的好夢是那麼短暫，然而歸鄉的路途卻是那麼遙遠，水天茫茫難以逾越，詞人倚窗眺望，遠處迷離的秋山就像他那難以舒展的愁眉一樣。詞人望見飛往吳地的鴻雁，希望它能將自己的歸信帶到蘇州閶門楊柳掩映的舊居處，那幾間小屋裏有他時刻懷念的人兒。然而，詞人美好希望與悲苦現實的對比，似乎暗示出蘇州舊居衹剩下空屋數間，在懷思中暗寓了無盡的悵恨。

夜遊宮

人去西樓雁杳，敍別夢、揚州一覺。雲淡星疏楚山曉。聽啼鳥，立河橋，話未了。

雨外蛩聲早，細織就、霜絲多少？說與蕭娘未知道。向長安，對秋燈，幾人老？

詞解　這是一首記夢懷人的詞作。愛人遠去，音信杳無，歡愛永訣。詞人在夢中見到了日思夜想的愛人，向她訴說西樓永訣、十年夢醒的種種悲歡，

陳廷焯白雨齋詞話感慨身世激烈語偏說得溫婉境地最高

沈際飛草堂詩餘正集所以感傷之本豈在芭蕉雨妙妙

夢中叙夢，悲上添悲。在夢中詞人依然與愛人在西樓歡會，拂曉時分雲淡星稀，遠山隱隱。詞人與愛人佇立在河橋邊，聽著晨鳥啼鳴，他們執手惜別，情話綿綿。夢中惜別之情景也正是詞人與愛人現實中離別的情景。

夢醒之後，詞人聽到雨聲之中蟋蟀悲鳴，滿懷的離愁染白了詞人的鬢髮，他卻推想是這蟋蟀聲如織機穿梭聲，不知道織出多少霜絲。詞人想借蟋蟀悲啼把自己的思念和悲傷告訴給遠方的愛人，可是她不懂蟋蟀的啼鳴，自然不會知道詞人的深情。詞人衹能遙望遠方，獨對秋燈，在思念中日益憂愁衰老。

賀新郎

陪履齋先生滄浪看梅

喬木生雲氣，訪中興、英雄陳跡，暗追前事。戰艦東風慳借便，夢斷神州故里。旋小築、吳宮閑地。華表月明歸夜鶴，歎當時、花竹今如此。枝上露，濺清淚。　遨頭小簇行春隊，步蒼苔、尋幽別墅，問梅開未？重唱梅邊新度曲，催發寒梢凍蕊。此心與、東君同意。後不如今今非昔，兩無言、相對滄浪水。懷此恨，寄殘醉。

詞解　滄浪亭邊，雲氣籠罩著喬木，詞人到此遊訪韓世忠的故居，追懷韓世忠抗金的英雄業績。上天借東風給周瑜，讓他取得了赤壁之戰的勝利，卻沒有幫助韓世忠，因此他雖然在黃天蕩圍困金兵十萬大軍四十八天，但卻沒能徹底消滅敵人，恢復神州故土的夢想破滅了。韓世忠隨後遭權奸秦檜剝奪兵權，衹能在江南吳地築起別墅，閑居山野。英雄的寂寞讓詞人深感悲慨，他設想當英雄忠魂返歸故居時，一定會感歎物是人非，昔日繁花翠竹的美景，竟變作了花竹枝梢零落悲涼，滴淚淒清的淒涼景象。

詞人陪友人吳潛瞻仰英雄故居後，便簇擁著一支遊春隊，踏過蒼苔，尋幽問梅。在梅花樹邊，他們重唱新作的歌曲，欣賞寒枝凍蕊，感受如同春天一般的心意。今不如昔，將來也會不如今日，詞人與友人默默地看著滄浪水滔滔東逝，他們相對無言，滿懷末世無望的愁恨，卻衹能借酒消愁，寄恨於醉，傳達出深深的消沉和悲痛之感。

唐多令

何處合成愁？離人心上秋。縱芭蕉、不雨也颼颼。都道晚涼天氣好，有明月、怕登樓。　年事夢中休，花空煙水流。燕辭歸、客尚淹留。

垂柳不縈裙帶住，漫長是、繫行舟。

詞解 愁從何處而來？是來自離人心中的悲秋之情啊。即使不下雨，芭蕉也發出淒涼的颼颼之聲。這樣蕭瑟的秋天，怎麼不讓人產生愁緒呢？心上著秋字曰愁，離思加傷秋爲愁，詞人以字形解釋愁情，構思新巧。人們都說秋日晚來天氣涼爽，最爲怡人，可是秋高月明，詞人心緒不好，衹怕因風月清明而觸動了離愁別恨，反而害怕登樓觀賞秋景了。

年來歡情如夢，就像凋零的花朵隨水東流，讓詞人產生了好事難再的滄桑之感。燕子已經歸去，而羈旅之人還漂泊在外，客居孤單，更是增添了他的愁思。垂柳的千萬條柳枝沒能繫住遠去的情人，卻繫住了詞人的行船，讓他淹留異鄉，不能隨她同去，從此天各一方。全詞語言明快，情感質樸，簡潔而又情韻悠長。

黃孝邁

湘春夜月

近清明，翠禽枝上消魂。可惜一片清歌，都付與黃昏。欲共柳花低訴，怕柳花輕薄，不解傷春。念楚鄉旅宿，柔情別緒，誰與溫存？

空尊夜泣，青山不語，殘照當門。翠玉樓前，惟是有、一陂湘水，搖蕩湘雲。天長夢短，問甚時、重見桃根？者次第、算人間沒箇并刀，剪斷心上愁痕。

詞解 清明節已經臨近了，翠鳥棲息在樹枝上，卻是一幅淒苦斷魂的情態。可惜它那悅耳的啼鳴聲，都交付給了蒼茫暮色。想那翠鳥一定也曾想向柳花低訴衷情，卻又怕柳花輕浮淺薄，不懂它的傷春之意。詞人羈旅江南楚湘，沒有知音用柔情溫存來慰藉自己的相思別恨，那寂寞失落的翠鳥正是他自身形象的寫照。

在孤寂冷落的長夜裏，詞人面對空樽潸然淚落，然而青山沉默不語，一縷殘照投在門口。翠玉樓前衹有浩浩無際的湘水和飄浮蕩漾的湘雲，詞人以眞情之心面對無情之物，更是倍感孤寂。他自然思念起遠方的情人來，然而天長地遠，相會無期，夢境又如此短暫，什麼時候纔能再次見到她呢？面對這孤獨淒涼的情形，詞人深感人間竟找不出鋒利的剪刀，能將自己心中的哀愁剪斷。沉摯率直地傾訴了他對情人深長的相思。

潘希白

大有・九日

戲馬臺前，採花籬下，問歲華、還是重九。恰歸來、南山翠色依舊。簾櫳昨夜聽風雨，都不似、登臨時候。一片宋玉情懷，十分衛郎清瘦。

紅萸佩，空對酒。砧杵動微寒，暗欺羅袖。秋已無多，早是敗荷衰柳。強整帽檐攲側，曾經向、天涯搔首。幾回憶、故國蓴鱸，霜前雁後。

詞解　此詞爲重陽節悲秋之作。又到了一年的重陽節，又到了在高臺前馳馬遊樂、在竹籬下採菊釀酒的時節。詞人恰好歸來，南山還同從前一樣青翠，然而詞人昨夜在簾櫳下卧聽風雨，他愁苦交加，喪失了登臨遊興。他就像宋玉一樣生起了悲秋之情，又憔悴清瘦如同衛郎。

詞人佩帶著茱萸草，獨自對著美酒，可飲酒也不能消除他的悲愁。婦女的搗衣聲催動了微寒，這悲切之聲更是觸動了詞人內心的悲淒。秋色已凋殘，早已衹剩下敗荷枯柳。回想往昔羈旅天涯之時，詞人始終對故鄉魂牽夢繞，然而大雁在寒霜降臨前就歸來了，他在大雁之後遲遲歸來，以至過了一個不盡如人意的重九佳節。詞人不禁爲身不由己的苦楚和歸來甚遲的遺憾發出了慨歎。

黃公紹

青玉案

年年社日停針綫，怎忍見、雙飛燕。今日江城春已半，一身猶在，亂山深處，寂寞溪橋畔。

春衫著破誰針綫？點點行行淚痕滿。落日解鞍芳草岸，花無人戴，酒無人勸，醉也無人管。

詞解　這首詞將遊子與思婦混合起來寫，卻又天衣無縫。每一年的春社日，婦女們按慣例都不做針綫活了，她們無事可做，看著那燕子親密地雙棲雙飛，自己卻獨守空閨，白白辜負了美好春光，心中就更加孤淒悲苦了。而遠方的遊子還一個人行走在亂山深處、小溪橋畔，他也正感到寂寞愁苦呢。

春衫穿破了誰來縫補？一點點一行行，針綫縫補處落滿了思念的眼淚，其中有思婦縫補時落下的眼淚，也有遊子睹衣思人而落下的眼淚。落日時分，遠方的遊子解鞍下馬，在芳草叢生的岸邊休息。此時兩人分居兩處，各自孤獨，即使飲酒行酒令也會備感孤獨，因爲酒席上沒有人爲自己戴花，不能相

賀裳皺水軒詞筌落日解鞍芳草岸花無人戴酒無人勸醉也無人管語淡而情濃事淺而言深真得詞家三昧非鄙俚樸陋者可冒

互舉杯勸酒，喝醉了也不能相互照應。這三個「無人」，寫盡了孤獨的景況。

朱嗣發

摸魚兒

對西風、鬢搖煙碧，參差前事流水。紫絲羅帶鴛鴦結，的的鏡盟釵誓。渾不記，漫手織迴文，幾度欲心碎。安花著葉，奈雨覆雲翻，情寬分窄，石上玉簪脆。　朱樓外，愁壓空雲欲墜，月痕猶照無寐。陰晴也秖隨天意，枉了玉消香碎。君且醉，君不見，長門青草春風淚。一時左計，悔不早荆釵，暮天修竹，頭白倚寒翠。

陽春白雪：雪崖詞僅存摸魚兒一闋，然措摹淒婉，又不能自已者

詞解　這是一首描寫棄婦哀怨之詞。蕭瑟的秋風撩亂了女主人公的鬢髮，有如煙雲飄翠。回想起宛如流水一般的前情往事，她不禁憔悴失神。當初她與情人熱戀之時，紫絲羅結上鴛鴦結，兩人用銅鏡和金釵許下山盟海誓，那時的他們多麼恩愛。誰知後來他全然不記得兩人的誓言，變心離去，女主人公徒然寫了許多書信給他卻無回音，多少回她的心都快碎了。然而不論她的感情有多深，雙方緣分卻已盡，猶如風雨之中飄墜的落花，猶如石上摔碎的玉簪，一切都已無可挽回。

面對著悲戚的情境，女主人公心中愁深似海。朱樓外，天空中烏雲沉沉欲墜，增添了她愁苦壓抑的心情，而明月照著她夜不能寐，更讓她覺得孤獨淒寂。回首往事，她慨歎人生就如天氣一樣陰晴不定，若早隨天意，也不至於落到如今玉消香碎的境地。想到漢武帝寵極一時的陳皇后也曾經幽居長門宮，她安慰自己不要過於悲傷，而要借酒行樂，趁醉忘憂。她後悔一時失算，早知今日會成棄婦，當初不如做個夫唱婦隨、甘守清貧的賢淑主婦，那樣還能保持自己的高潔品質。詞人借此棄婦的形象，傳達了自己潔身自重的情操。

劉辰翁

蘭陵王・丙子送春

送春去，春去人間無路。鞦韆外、芳草連天，誰遣風沙暗南浦。依依甚意緒？漫憶海門飛絮。亂鴉過、斗轉城荒，不見來時試燈處。　春去，最誰苦？但箭雁沉邊，梁燕無主。杜鵑聲裏長門暮。想玉樹凋土，淚盤如露。咸陽送客屢回顧，斜日未能度。　春去，尚來否？正江令恨別，庾信愁賦。蘇堤盡日風和雨。歎神遊故國，花記前度。人生

卓人月古今詞統：送春去二句悲絕，春去誰最苦四句淒清，何減夜猿第三疊。悠揚悱惻，即以爲小雅楚騷可也。

楊慎詞品補
詞意淒婉與
麥秀歌何殊

流落，顧孺子，共夜語。

詞解　這首詞題爲送春，實寫亡國之痛。送春歸去，春天在人間已無路可走，就像宋王朝面臨著不可逆挽的滅亡命運一樣。鞦韆外，芳草綿延到天邊，誰料風沙遮天蔽日？詞人用「風沙」比喻元軍兇猛，他即將送別一個朝代，因此悲苦之情不能自已。回想當日元兵攻佔臨安時，宋朝宗室、官員和軍隊大多從海上逃亡，君臣命運飄搖。如今臣民離散，王朝隕落，當日繁華的京城已一片荒涼：烏鴉在空中亂飛，北斗移轉，城池頹敗，當年燈火輝煌的元宵盛景也不復存在。

春天離去，誰最痛苦呢？國家破滅了，誰最淒慘呢？被擄北上的君臣，有如被射中的大雁，墜落到遙遠他鄉，永無回歸之日。亡國無依的臣民就像無主梁燕一樣淒惶。暮色之中，從前金碧輝煌的宮禁一派淒涼，祇有杜鵑在其中一聲聲淒切地啼鳴著，宮殿中的樹木和器物彷彿都爲了王朝傾覆而悲痛萬分。被俘北行之人依戀故國，遠行之時不住回顧。這三方面的回答寫出國破家亡的無限淒慘和悲苦。

春天去了，明年又會重來，故國覆亡，是否還能復國？詞人預想前景，祇

覺得回春無望，國勢難爲。他祇能像古人江總與庾信一樣，滿懷恨別之愁。昔日春光明媚的蘇堤，現在終日風雨交加，這淒迷的景象正襯託著詞人的家國之悲。從此以後，故國祇能神遊，舊事祇有花還記得，詞人祇能流落天涯，與幼子共話亡國之痛，一派天涯淪喪、前路茫茫之感。詞人以送春象徵亡國，借自然景象寫人世滄桑，意象淒迷，寄託遙深。

寶鼎現・春月

紅妝春騎，踏月影、竿旗穿市。望不盡、樓臺歌舞，習習香塵蓮步底。簫聲斷、約彩鸞歸去，未怕金吾呵醉。甚輦路、喧闐且止，聽得念奴歌起。

父老猶記宣和事，抱銅仙、清淚如水。還轉盼、沙河多麗。滉漾明光連邸第，簾影凍、散紅光成綺。月浸葡萄十里，看往來、神仙才子，肯把菱花撲碎。

腸斷竹馬兒童，空見說、三千樂指。等多時、春不歸來，到春時欲睡。又說向、燈前擁髻，暗滴鮫珠墜。便當日、親見《霓裳》，天上人間夢裏。

詞解　回想北宋宣和年間，那時的元宵節盛況空前。婦女穿著盛裝出遊，踏著月色，在滿街衆多的旗幟間穿行。望不盡的歌舞樓臺，婦女們一路行走，

況周頤蕙風詞話：須溪詞中間有輕靈婉麗之作，似乎元明以後詞派導源乎此，詎時代已入元初，風會所趨，不期然而然者耶？

腳下揚起片片香塵。賞月觀燈、盡情遊玩之後，她們結伴歸去，也不用擔心宵禁夜行。在皇家車騎行經的輦路上，當著名的歌者開始歌唱之時，人們都安靜下來側耳傾聽。

被迫南渡之後，人們都還記得北宋時的元宵盛況，他們想起故國都不禁傷心落淚。然而南宋時的元宵節也非常熱鬧，沙河塘居民殷富，那裏歌管不絕，十分美麗。無數掛著花燈的宅第倒映在江水中，簾影動時，滿江紅光晃動，仿佛一疋羅綺。月光投射在碧綠的西湖水中，才子佳人過著風流浪漫的生活，他們誰又會料想到將來的國破家亡之禍呢？

如今大宋已經覆滅了，那些沒有親見故國南宋的少年兒童衹從老人口中聽說過前朝舊事盛景，他們依然騎著竹馬歡笑嬉戲，詞人爲他們不解亡國之痛而感到極度悲傷。詞人仍然盼著春日元宵的到來，然而故國已不再，因此眞正等到元宵節到來時，詞人卻又頗感無味，竟在昏然欲睡中度過。那種繁華熱鬧的元宵景象再也見不到了，詞人衹能在燈下擁髻生哀，暗暗傷心垂淚。年少者固然因爲生不逢時、衹能空聞前朝盛世而哀歎，可是年老者縱然親見霓裳樂舞的繁華又能如何？都不過是「天上人間」的一場春夢，衹

能空餘悵恨而已。夢裏繁華、夢破淒涼，傳達出詞人深巨而無奈的社稷淪亡之痛。

永遇樂

余自乙亥上元，誦李易安《永遇樂》，爲之涕下。今三年矣，每聞此詞，輒不自堪。遂依其聲，又託之易安自喻。雖辭情不及，而悲苦過之。

璧月初晴，黛雲遠淡，春事誰主？禁苑嬌寒，湖堤倦暖，前度遽如許！香塵暗陌，華燈明晝，長是懶攜手去。誰知道、斷煙禁夜，滿城似愁風雨。

宣和舊日，臨安南渡，芳景猶自如故。緗帙離離，風鬢三五，能賦詞最苦。江南無路，鄜州今夜，此苦又誰知否？空相對，殘釭無寐，滿村社鼓。

詞解　天空剛剛放晴，圓月高照，黛雲高遠輕淡，誰是這春光的主人？禁苑裏天氣微寒，而西湖堤畔春已暖得令人生倦，時局變化如此迅速，故地重遊，春光如故，而山河全非，江山易主令人悲從中來。追憶往年元夕，遊人如織，香塵遮蔽了道路，精緻的彩燈將街道照得如同白晝。面對往日這樣繁華熱鬧的景象，詞人倘懶得出遊，而今的元夕夜斷絕炊煙、禁止夜行，這樣滿

況周頤蕙風詞話：須溪詞風格道上似稼軒，情辭跌宕似遺山，有時意筆俱化，純任天倪，竟能略似坡公。

目荒涼而戒備森嚴，更是無景可賞，滿城風雨衹讓人感到愁苦萬分。

宣和年間，汴京以繁華著稱。宋室南渡，定都臨安，繁華的景象也依然如故。當年，李清照南渡之後，苦心收藏多年的書籍散失，元夕佳節她也無心打扮，寫出了滿懷悲苦的《永遇樂》詞。而如今，連江南地區也已經淪陷了，詞人四處流亡，無路可走，家人又遠別天涯，這種痛苦有誰能知道呢？長夜漫漫，他空守孤燈難以入眠，聽著滿村的社鼓聲，心中憂恨良深。全詞從靜景開始，卻以喧鬧之聲結束，正表現了詞人當時內心的煩亂和痛苦。

摸魚兒

酒邊留同年徐雲屋

怎知他、春歸何處？相逢且盡尊酒。少年裊裊天涯恨，長結西湖煙柳。休迴首，但細雨斷橋，憔悴人歸後。東風似舊，問前度桃花，劉郎能記，花復認郎否？　君且住，草草留君剪韭，前宵正恁時候。深杯欲共歌聲滑，翻濕春衫半袖。空眉皺，看白髮尊前，已似人人有。臨分把手，歎一笑論文，清狂顧曲，此會幾時又？

詞解　春歸何處有誰能知道呢？在這暮春時節，故友相逢，與其傷春，還

> 周濟《介存齋論詞雜著》：公謹敲金戛玉，嚼雪盥花，新妙無與爲匹。

不如開懷痛飲，盡情歡樂。想少年時遊覽西湖，那輕煙籠罩的垂柳還歷歷在目，現在流落天涯，追憶往昔衹留下無盡的愁恨。種種往事還是不要再回想了吧，細雨斷橋，東風依舊，然而人卻已憔悴衰老，物是人非，令人悵惘，即使劉郎還能認得往日的桃花，桃花卻還能認得劉郎嗎？字裏行間流露出今昔盛衰之感和故國興亡之恨。

相聚時舉杯痛飲，在歡樂的外表下卻隱藏著深沉的悲苦。詞人準備菜肴與友人話別，殷切挽留。從前歡宴之時，痛飲高歌，歌聲雖然走調卻很快樂，打翻酒杯濕了衣袖，那是多麼愜意。然而如今樽前離別，看看在座的友人個個都已經頭生白髮，衹能空自歎息皺眉。臨別之際，念起昔日談笑論文、清狂賞曲的情景，今日卻憔悴悲歌，詞人不禁感歎這樣的聚會又何時纔能再有呢？期盼之中透露著詞人的悲涼與失落，他與朋友雙方的時世飄淪之感，也代表了南宋滅亡以後衆多士人的心境。

周密

瑤華

后土之花，天下無二本。方其初開，帥臣以金瓶飛騎，進之天上，間亦分致貴邸。余客輦下，有以一枝……（下缺。按他本題，改作瓊花。）

朱鈿寶玦，天上飛瓊，比人間春別。江南江北，曾未見、漫擬梨雲梅雪。淮山春晚，問誰識、芳心高潔？消幾番、花落花開，老了玉關豪傑。

金壺剪送瓊枝，看一騎紅塵，香度瑤闕。韶華正好，應自喜、初識長安蜂蝶。杜郎老矣，想舊事花須能說。記少年一夢揚州，二十四橋明月。

【詞解】揚州后土祠的瓊花，猶如天上的仙子一般冰清玉潔，嬌艷美好，於人間暮春時節綻放。無論是江南還是江北，都從未有過如此美妙的花朵，衹好暫且拿梨花和梅花與之相比。可誰又曾知曉瓊花絕美外表之下的芳心的高潔？在詞人眼裏，瓊花就好似宋亡以後的守節之士。時光荏苒，花落花開，曾經的豪傑志士已經失去了青春的大好年華。

想當年，瓊花正是燦爛嬌艷之時，被移植送往京城，得到朝廷特別賞識，觀賞的人蜂擁而至，而如今卻是國家已滅亡、瓊花已零落。衰老的詞人想起舊國往事，心中的酸楚和感慨無處可說，衹能借花事來寄託一腔的愁思。他借用杜牧回憶揚州的詩句，暗示出遺民不忘本朝的高尚節操。

李慈銘孟學齋日記南宋之末終推草窗夢窗兩家爲此事眉目非碧山竹屋輩所可頡頏

查禮銅鼓書堂詞話其詞句雅奏之妙固不必言

玉京秋

長安獨客，又見西風，素月丹楓，淒然其爲秋也，因調夾鐘羽一解。

煙水闊，高林弄殘照，晚蜩淒切。碧砧度韻，銀床飄葉。衣濕桐陰露冷，採涼花時賦秋雪。歎輕別，一襟幽事，砌蛩能說。　客思吟商還怯，怨歌長、瓊壺暗缺。翠扇恩疏，紅衣香褪，翻成消歇。玉骨西風，恨最恨、閑卻新涼時節。楚簫咽，誰寄西樓淡月。

詞解　詞人行走於臨安之中，正是秋意蒼茫之時。遠望水天空闊蒼茫無際，落日的餘暉依偎著樹梢緩緩西沉，寒蟬的叫聲淒涼悲切，如泣如訴。碧色的搗衣石上傳來陣陣有節奏的搗衣聲，落葉飄過白石砌成的井欄。夜晚的寒露打濕了久久佇立的詞人的衣裳，所採的蘆花就像秋雪一樣，讓人心中充滿了涼意，愈覺淒苦。感歎離別，一腔幽思，都在這蟋蟀的清吟之中。這秋蟲最能牽動羈旅之人的鄉思！

羈旅異鄉的遊子不敢吟誦秋天的曲調。本已殘敗的荷花也被這濃濃的秋意蕩滌一盡了，遠在異鄉的詞人因爲鄉愁而心中抑鬱，所以入耳之秋蟲，盡成怨曲；入目之秋花，並作愁容。獨自站立在西風之中，讓詞人遺憾惆悵的除了秋天的鄉思之外，更是功名未立的感慨。遠處傳來了嗚咽的洞簫之聲，不知是誰在這秋天的淡月之中於西樓之上吹奏著憂傷的曲調，更增添了遊子的孤寂。

曲遊春

禁煙湖上薄遊，施中山賦詞甚佳，余因次其韻。蓋平時遊舫，至午後則盡入裏湖，抵暮始出斷橋，小駐而歸，非習於遊者不知也。故中山亟擊節余「閑卻半湖春色」之句，謂能道人之所未云。

禁苑東風外，颺暖絲晴絮，春思如織。燕約鶯期，惱芳情偏在，翠深紅隙。漠漠香塵隔，沸十里、亂絲叢笛。看畫船，盡入西泠，閑卻半湖春色。　柳陌，新煙凝碧。映簾底宮眉，堤上遊勒。輕暝籠寒，怕梨雲夢冷，杏香愁冪。歌管酬寒食，奈蝶怨、良宵岑寂。正滿湖、碎月搖花，怎生去得？

詞解　和暖的春風從宮苑一直吹到西湖之外，風裏飄蕩著的遊絲柳絮使濃濃的春意充斥於天地之間，環繞在人們的身邊。鶯歌燕舞，好像燕子和黃鶯約好了一起似的。讓人懊惱的是，這麼美妙的歌舞卻總是在繁花深處上宋七家詞選：草窗詞盡洗靡曼，獨標清麗，有韶倩之色，有綿渺之思，與夢窗旨趣相侔，二窗並稱，允矣無忝。

演，讓人不容易尋見。春天柔和的氣息像軟霧一般籠罩著整個西湖，湖面上到處都是絲竹樂器演奏的音樂聲。到中午的時候，遊船都划入了西泠橋裏湖，熱鬧的湖面一下子安靜了，半湖春色都閑置了下來。詞人縱情欣賞著西湖春色，心情愉悅而閑適。

湖堤上柳樹的新葉鮮嫩欲滴，映襯著乘坐馬車的嬌美女子和騎馬而遊的翩翩公子。天色逐漸暗了下來，傍晚的西湖籠罩在微微的寒意之中，詞人不禁開始擔心，害怕梨花在夢中感到寒冷，擔憂杏花被憂愁所籠罩。寒食節春遊的笙歌燕舞，撩動人心讓人沉醉，繁華之後的沉寂就連蝴蝶都會感到悵恨。月光下的粼粼波光如花朵在微風中搖動一般，這麼美好的春景，讓人流連忘返，詞人怎麼捨得離去呢？

花犯·賦水仙花

楚江湄，湘娥再見，無言灑清淚，淡然春意。空獨倚東風，芳思誰寄？凌波路冷秋無際，香雲隨步起，漫記得、漢宮仙掌，亭亭明月底。

冰絲寫怨更多情，騷人恨，枉賦芳蘭幽芷。春思遠，誰歎賞、國香風味？相將共、歲寒伴侶，小窗靜，沉煙熏翠被。幽夢覺，涓涓清露，一枝燈影裏。

詞解 冬春之交，正是水仙花開放的時候。詞人看見亭亭玉立的水仙花，就好像是在漫步江畔的時候忽然見到了湘妃，因爲水仙花正如湘妃一般清幽含淚，楚楚動人，在空氣中散發出淡淡的春意。在這春寒料峭的時節，獨自在春風中開放的水仙花就像孤獨的女子，相思之心又能說給誰聽呢？春風吹過，水仙花隨風搖擺的身姿就像洛神一樣輕盈曼妙，帶起陣陣輕冷的幽香，給人以輕寒的感覺。詞人看著這搖曳動人的水仙花，不由得想到了漢宮前捧承玉盤金盞的金銅仙人在明月照映下的飄逸身影。借女神、仙子的形象，詞人傳神地描摹出水仙花的婀娜之美。

水仙像那湘水之神一樣多情，屈原在《離騷》中把自己的一腔幽怨賦予蘭花白芷，還不如賦予水仙。離百花開放春思撩人的時節尚遠，有誰會和詞人一起來欣賞水仙的美麗和幽香呢？衹有水仙和詞人彼此相親相伴，度過這嚴寒時節。透過明淨的小窗望去，靜靜的屋子裏，衹有燃著的熏衣的沉香。詞人從夢中醒來，衹看見燈影中有一枝水仙，挺立在清水盤中。高潔的水仙儼然是詞人的知音，婉轉地寄託著他的美好情思。

陳廷焯白雨齋詞話竹山集中便算最高之作乃秀水必謂其效法白石何異癡人說夢耶

蔣捷

賀新郎

夢冷黃金屋，歎秦箏斜鴻陣裏，素絃塵撲。化作嬌鶯飛歸去，猶認紗窗舊綠。正過雨、荊桃如菽。此恨難平君知否？似瓊臺、湧起彈棋局。消瘦影，嫌明燭。　鴛樓碎瀉東西玉，問芳蹤、何時再展？翠釵難卜。待把宮眉橫雲樣，描上生綃畫幅。怕不是新來裝束。彩扇紅牙今都在，恨無人、解聽開元曲。空掩袖，倚寒竹。

詞解　夢裏依稀見到了往日的繁華，讓醒來之後的女主人公心中無比淒苦惆悵。她看著古箏上斜如雁行的絃柱，卻無心彈奏，衹能讓素絃蒙塵。她厭倦了孤獨的幽居，神魂幻化爲嬌鶯飛回故國舊土，依然諳熟舊時的綠紗窗。待她回過神來，眼前是冷雨瀟瀟、櫻桃如豆的景象，這份惆悵怎麼也難以排遣。知道嗎？人生就像一場棋局，禍福難料，興亡不定。人越來越憔悴，她真害怕看見明燭照映下自己那日漸消瘦的影子。

故國就像杯碎酒瀉一般消亡淪陷了，曾經的繁華風吹雲散，何日能再現當日盛景？這恐怕已經無從卜問。她想把舊日橫雲一樣的宮眉妝扮畫在絲綢畫幅上，卻怕縱然畫出也已不合時宜。曾經用過的舞具和樂器都還在，可歎卻沒有人一起來欣賞那曾經的盛行歌曲。衹有女主人公自己倚著寒竹，空掩薄袖在日暮之中。全詞模擬女子的口吻，借遲暮失寵的美人來比擬南宋亡國之後獨守孤寒的遺老孤臣，表現出詞人幽獨悲鬱的情懷。

女冠子·元夕

蕙花香也，雪晴池館如畫。春風飛到，寶釵樓上，一片笙簫，琉璃光射。而今燈漫掛，不是暗塵明月，那時元夜。況年來、心懶意怯，羞與蛾兒爭耍。　江城人悄初更打，問繁華誰解，再向天公借？剔殘紅灺，但夢裏隱隱，鈿車羅帕。吳箋銀粉砑。待把舊家風景，寫成閑話，笑綠鬢鄰女，倚窗猶唱，夕陽西下。

詞解　瑞雪初晴，池館如冰雕玉砌一般優美如畫，蕙花的香氣四處彌漫。春風拂過遠處的歌舞樓館，半透明的五色琉璃燈發出燦爛炫目的光彩，樓上傳來陣陣美妙的笙簫聲。回想故國時的元夕之夜，燈月輝映，熱鬧非凡，而如今不過衹是隨意掛幾盞花燈而已，再也沒有當年的繁華景象。況且國破家亡之後，詞人早已心灰意懶，根本沒有心情再歡樂嬉鬧，元宵佳節帶給他的唯有淒涼和悲傷而已。

滿懷故國之思的詞人，直到周圍一片靜寂、人們都已歇息的初更時分，仍未能入眠。他在心中歎問：江山已經易主，復國已是無望，那一去不復返的繁華，難道還能再從上天那兒借到嗎？唯有詞人自己經常在夢裏依稀記起宋亡之前的種種繁華罷了。既然復國無望，衹有將夢中的舊時風景寫成「閑話」，借此來表示對故國的眷戀和憑弔。在夕陽西下之時，聽到鄰家少女還在倚窗歌唱，她無憂無慮的歡笑令詞人更加感到辛酸了。

一剪梅・舟過吳江

一片春愁待酒澆。江上舟搖，樓上簾招。秋娘渡與泰娘橋，風又飄飄，雨又蕭蕭。何日歸家洗客袍？銀字笙調，心字香燒。流光容易把人拋，紅了櫻桃，綠了芭蕉。

詞解　詞人漂泊在外，在這春光明媚的季節，思歸之情更是難以壓抑。坐在船上行駛在江中，看到岸邊酒樓的酒旗正迎風招展，心中不由地想借酒澆滅這濃濃的思歸之情。船兒渡過了秋娘渡與泰娘橋，偏偏又遇上這「風又飄飄，雨又蕭蕭」的惱人天氣，更加增添了詞人的羈旅之愁。

不知什麼時候纔能回到思念已久的故鄉，詞人衹好在心中想象歸家後的溫暖生活：有人給自己洗客袍，調銀字笙，燒心字香，何等的美滿愜意。光陰似箭，日月如梭，時光遠遠地將人拋在了後面！你看那櫻桃紅了、芭蕉綠了，春天即將逝去，夏天就要到了。可詞人時至今日仍未能歸鄉，他獨自一人四處漂泊，心中滿是悵惘之情。

虞美人・聽雨

少年聽雨歌樓上，紅燭昏羅帳。壯年聽雨客舟中，江闊雲低，斷雁叫西風。　而今聽雨僧廬下，鬢已星星也。悲歡離合總無情，一任階前，點滴到天明。

詞解　年少的時候，在歌樓上聽雨，紅燭盞盞，昏暗的燈光下羅帳輕盈。少年的心，總是放蕩不羈的。年少的時候，不識愁滋味，就算聽雨也要找一個浪漫的地方，選擇自己喜歡的人陪在身邊。那時候的詞人無憂無慮，沒有經歷人生的風雨，心中有著豪情與壯志，就算憂愁，也衹顯出淡雅與悠然；衹是爲賦新詞強說愁罷了。人到壯年，在異國他鄉的小船上，看濛濛細雨，茫茫江面，水天一綫，西風中，一隻孤雁陣陣地哀鳴。壯年之後的詞人，正值兵荒馬亂之際，常常在人生的蒼茫大地上踽踽獨行，四方漂流，恰如孤苦無依的孤雁。

而今人到暮年，兩鬢已是白髮蒼蒼，獨自一人在僧廬下，聽細雨點點，回想人生悲歡離合的經歷。一個白髮老人獨自在僧廬下傾聽著夜雨，處境之蕭索，心境之淒涼，在十餘字中，已一覽無餘。江山已易主，壯年的愁恨與少年的歡樂，已被雨打風吹去，此時此地再聽到點點滴滴的雨聲，詞人已無動於衷了，就讓那小雨點點滴滴下到天明吧。同是聽雨，三個時期三種心境，人世滄桑實在令人淒然。

梅花引・荊溪阻雪

白鷗問我泊孤舟，是身留，是心留？心若留時，何事鎖眉頭？風拍小簾燈暈舞，對閑影，冷清清，憶舊遊。 舊遊舊遊今在否？花外樓，柳下舟。夢也夢也，夢不到，寒水空流。漠漠黃雲，濕透木棉裘。都道無人愁似我，今夜雪，有梅花，似我愁。

詞解 羈旅途中的詞人，忽遇風雪，不能航行，泊舟岸邊。慣於生活在風雪之中、激流之上的白鷺，見狀問道：「你是被迫羈留於此，還是心中樂意停

留？倘若是甘願駐留於此，又是什麼煩心事兒讓你眉頭深鎖？」傍晚時分，冷風拍打著小舟的簾幕，把燈火撩撥得跳蕩不已，光暈連同詞人的影子，都在搖曳著。周圍的一切都是那麼的孤獨冷清，詞人不禁開始想念昔日的遊伴。「我那往昔的遊伴啊，今日你可還健在？花叢旁的小樓，柳蔭之下的輕舟，都似夢幻一般消逝了。我努力想要在夢中重溫舊日的歡樂，可惜冷風、寒水、黃雲、白雪，使我無法成眠，連那木棉裘都濕透了，又怎能讓人安睡？」風雪漫天，本已令人愁苦，再加之連想要靠夢境來給予自己一些安慰都不得，詞人的惆悵似那荊溪流水一般悠悠難盡。詞人原本以為在這孤舟中如此冷清的夜晚，沒有人會像自己這麼淒涼悵恨，卻又發現幸好還有梅花相伴。在今夜的大雪之中，梅花也像詞人一樣沉浸在愁苦之中。

聲聲慢・秋聲

黃花深巷，紅葉低窗，淒涼一片秋聲。豆雨聲來，中間夾帶風聲。疏疏二十五點，麗譙門、不鎖更聲。故人遠，問誰搖玉珮，檐底鈴聲？ 彩角聲吹月墮，漸連營馬動，四起笳聲。閃爍鄰燈，燈前尚有砧聲。知他訴愁到曉，碎噥噥、多少蛩聲！訴未了，把一半、分與

雁聲。

詞解 這首詞寫種種秋聲，在愁人聽來，使人腸斷。菊花盛開在小巷深處，紅葉掩映在窗前，在這深秋時節，詞人憑窗聆聽著連綿不斷的秋聲，不禁引起心中陣陣淒涼。秋雨聲夾雜著風聲率先而來。風雨淒涼，長夜難眠。風聲中又傳來了稀疏的來自城門上更鼓樓的更點聲。備感秋夜難捱的詞人，聽著風中送來的更聲，及風兒搖響檐底的風鈴清脆的響音。百無聊賴的詞人心中不禁一喜，以爲這是老友身上玉佩的響聲，但老友都在遠方不可能來，這會是誰呢？突然明白原來是風鈴的聲音，不禁對風兒心生責怪，詞人這裏用筆極爲巧妙，看似誤聽，實則寫出了對老友的思念之情。

詞人一夜無眠，抬頭已是黎明時分，月亮沉落，號角聲起，軍營中人馬騷動。元朝此時已佔領了全國，軍旅遍佈，這些聲音對於隱居太湖竹山不肯和元統治者合作的詞人來說，豈不是比秋風秋雨的聲音更加刺耳驚心嗎？燈光隱隱之處，又傳來了鄰舍在砧石上搗練的聲音，鄰家主婦一夜未眠趕製寒衣，天明仍未歇息。窗前牆角的蟋蟀聲，一夜未斷，如泣如訴，好似心中有無限的哀愁悵恨。這種泣訴直到天明仍未消滅，就連那南歸的大雁都感此而鳴聲淒涼。憂愁之人聽悲涼之聲，怎能不讓人肝腸寸斷。

霜天曉角

人影窗紗，是誰來折花？折則從他折去，知折去、向誰家？　簷牙，枝最佳。折時高折些。說與折花人道：須插向、鬢邊斜。

詞解 窗紗上映有人影，主人公心想：「是誰到我家的院子裏來折花？如果想折，就讓他折吧。衹是不知道要把這花送到哪裏去。」

她不但允許陌生人折花，而且生怕折花人找不到最美的花，因而急忙告訴折花人說：「簷牙邊的那枝最美，就折那枝吧！並把花斜插在鬢髮旁邊，那樣纔好看！」

張炎

高陽臺·西湖春感

接葉巢鶯，平波捲絮，斷橋斜日歸船。能幾番遊？看花又是明年。東風且伴薔薇住，到薔薇、春已堪憐。更淒然，萬綠西泠，一抹荒煙。　當年燕子知何處？但苔深韋曲，草暗斜川。見說新愁，如今也到鷗邊。無心再續笙歌夢，掩重門、淺醉閑眠。莫開簾，怕見飛花，

許昂霄詞綜偶評 淡淡寫來，洽洽自轉，此境大不易到。

陳廷焯《雲韶集》：一片淒感，似唐人悲歌之詩。結筆情深一往。

怕聽啼鵑。

詞解　暮春時節的西湖，綠樹枝繁葉茂遮掩住了嬌鶯的巢穴，夕陽照耀之下晚歸的漁船停靠在斷橋旁邊，景色是如此的怡人，衹可惜卻已是春深之時。人生能有幾回這樣的遊歷，想要再次看到這樣的美景，衹好等到明年春天了。等到薔薇開放的時候，春天已快要走到盡頭，因此詞人情不自禁地向春風請求道：「春風啊，還請你暫且伴隨薔薇在人間多留一刻吧。」苦苦留春不住，本已讓詞人黯然神傷，更何況眼前的西泠橋，早已由往日的繁華興盛變爲現在的冷寂荒涼，他怎麼能不感到無限悲苦呢？

國破家亡，曾經寄居簷下的燕子早已不知飛往何處。舊日的西湖勝地如今已是滿目荒涼。故國不復、繁華難再，這一切怎能不讓人惆悵神傷，就連那從不識愁滋味的白鷗也因此而愁白了頭。詞人再沒有心情像從前那樣過著歌舞娛樂的優越生活，而是關上門悶在家裏借酒澆愁，醉後就蒙頭大睡，希望在睡夢中能忘卻亡國的痛苦。可是酒消夢醒之後，他還是不敢捲起珠簾，害怕看見凋落的飛花，害怕聽見啼血的杜鵑，因爲看見這些景緻他就會想起舊日的繁華，禁不住肝腸寸斷。

八聲甘州

辛卯歲，沈堯道同余北歸，各處杭越。逾歲，堯道來問寂寞，語笑數日，又復別去。賦此曲，並寄趙學舟。

記玉關、踏雪事清遊，寒氣脆貂裘。傍枯林古道，長河飲馬，此意悠悠。短夢依然江表，老淚灑西州。一字無題處，落葉都愁。　載取白雲歸去，問誰留楚佩，弄影中洲？折蘆花贈遠，零落一身秋。向尋常、野橋流水，待招來、不是舊沙鷗。空懷感，有斜陽處，卻怕登樓。

詞解　還記得在玉關的時候，我們一起羈旅北國，踏雪冒寒，北風凜冽，冷得身上的貂裘都快要脆裂了。那些在枯林古道旁飲馬長河的羈旅往事，直至如今我仍無法忘懷。終於回到了江南，短暫的停留之後我們便淚別杭州。自從分別之後，從未致書問候，並非我不想題詩贈友，實在是因爲太過於憂愁無法下筆。在我這愁人看來，就連那被西風吹落的片片枯葉上都佈滿了愁意。

現在你來看望我，短暫的相聚之後，你又要歸隱白雲之處，我還能和誰像這樣相知相惜？臨別之際，我不知道該贈給你些什麼，衹好折一枝蘆花送

孔齋至正直記錢塘張叔夏嘗賦孤雁詞有寫不成書衹寄得相思一點人皆稱之曰張孤雁

給你，因為飄零的蘆花就像我一樣孤獨淒涼。我也曾試圖像以往那樣，遊玩結友，偶爾也會碰到三朋四友，但卻終非故人。鬱積的惆悵寂寞衹能靠登樓遠望來排解，但每當夕陽西下之時，心中的悲傷倍增，終究又不敢再登高望遠了。詞人將國事的悲慼寓於彼此的身世漂零和對故人的思念之中，讀來真令人愴然涕下。

解連環・孤雁

楚江空晚，悵離群萬里，恍然驚散。自顧影、欲下寒塘，正沙淨草枯，水平天遠。寫不成書，衹寄得、相思一點。料因循誤了，殘氈擁雪，故人心眼。　誰憐旅愁荏苒。漫長門夜悄，錦箏彈怨。想伴侶、猶宿蘆花，也曾念春前，去程應轉。暮雨相呼，怕驀地、玉關重見。未羞他、雙燕歸來，畫簾半捲。

詞解　我就像那離群的孤雁一般，在黃昏時分孤零零地飛在蒼茫的空中，底下是一望無際的楚江。離雁群越來越遠，淒然四顧，唯有顧影自憐，想要在池塘邊停下來歇息，觸目所及，卻是讓人更感悲涼的秋景：草枯沙淨，水遠天高。孤雁離群萬里，無法排列成行，也就寫不成書信，衹能寄託一點相

周濟介存齋論詞雜著玉田近人所最尊奉才情詣力亦不後諸人終覺積穀作米把纜放船無開闊手段然其清絕處自不易到

思而已。因為我自己的因循苟且，逃避鬥爭，而愧對那些像蘇武一般奮然為國守節的北地友人。詞人通過孤雁寄託的一點相思巧妙地表達出遺民對前朝的思念。

有誰會歎憐詞人猶如孤雁在漫漫羈旅中鬱積著哀愁？孤雁的悲鳴如箏聲一般哀婉淒切，詞人的處境就像被打入冷宮、幽居在長門宮的陳皇后一般淒苦無助。料想那些留在北方的雁群此時應仍然歇息在蘆葦叢中，孤雁也曾設想過等到第二年春天的時候，飛回北方，與伙伴在玉門關的暮雨中相見，大家彼此又驚又喜。即使要面對那些在北方依附新貴的「雙燕」，也無所慚愧。詞人在此用「雙燕」來暗指那些投附元朝沒有氣節的趨炎附勢之人。

疏影・詠荷葉

碧圓自潔，向淺洲遠浦，亭亭清絕。猶有遺簪，不展秋心，能捲幾多炎熱？鴛鴦密語同傾蓋，且莫與、浣紗人說。恐怨歌、忽斷花風，碎卻翠雲千疊。　回首當年漢舞，怕飛去漫皺，留仙裙褶。戀戀青衫，猶染枯香，還歎鬢絲飄雪。盤心清露如鉛水，又一夜、西風吹折。喜靜看、匹練飛光，倒瀉半湖明月。

詞解　這是一首詠荷葉的詠物詞，以諸多歷史典故和荷之韻味情趣，寄託詞人的情思。初秋時節，荷花已謝，衹有碧綠渾圓的荷葉，亭亭玉立於淺洲遠浦之中，清麗絕俗。荷葉間殘留的蓮蓬像遺落的玉簪，碧葉舒捲，讓人忘卻了暑熱。鴛鴦在荷葉間嬉戲，好像在同荷葉竊竊私語，請它不要把自己的心事告訴浣紗人，衹怕怨歌聲聲，秋風會吹散了翠雲一樣的荷葉。這遺世獨立的荷葉，正是詞人自身的寫照。

回想當年漢成帝皇后趙飛燕歌舞之時，裙衣飄飄，成帝怕她會飛天昇仙而去，要人拉著她的衣裙，而清風吹拂下的荷葉，就像趙飛燕的留仙裙一樣美麗。荷葉又好像是讀書人所穿的青衫，上面還留著荷花的清香，纏繞著白髮一般的藕絲。這初秋的荷葉，描摹出了詞人韶華已逝、鬢髮花白的景況。晶瑩的露珠像鉛水一般在荷葉上滾動，又是一夜秋風，荷葉被風吹折，紛紛凋殘，但詞人並沒有因這蕭瑟的景象而心生悵惘，而是以達觀的心情，欣賞流瀉如練的月光：荷葉凋盡，皎潔的月光傾瀉在湖面上，像整疋的白練，這樣的景致也很好看。結尾三句寫荷池整體畫面，相融相匯，空明宏麗。

陳廷焯詞則：骨韻俱高，詞意兼勝，白石老仙之後勁也。

月下笛

孤遊萬竹山中，閑門落葉，愁思黯然，因動黍離之感。時寓甬東積翠山舍。

萬里孤雲，清遊漸遠，故人何處？寒窗夢裏，猶記經行舊時路。連昌約略無多柳，第一是、難聽夜雨。漫驚回淒悄，相看燭影，擁衾誰語。

張緒，歸何暮？半零落依依，斷橋鷗鷺。天涯倦旅，此時心事良苦。衹愁重灑西州淚，問杜曲人家在否？恐翠袖天寒，猶倚梅花那樹。

詞解　詞人獨遊萬竹山，他望見天上的孤雲，感慨自己就像這孤雲一樣漂泊萬里，遠離故國，昔日的親友也不知流散在何處。每當寒夜獨眠，他總在夢裏懷念故人，記起曾經去過的地方。連昌宮的柳樹大概已所剩無幾了，宋室也早已覆亡，在寂靜的雨夜裏回憶起這種淒涼的往事，實在令人難以忍受。詞人聽著山中夜雨，望著搖曳的燭光，擁著錦被獨自坐在床上，追懷故國與故人，他滿腔的慨歎卻不知可以向誰傾訴。

詞人歎自己欲回歸故國而不得，他想到舊時的繁華勝地現在也一定零落凋殘，斷橋邊的鳥和白鷺也已流散。詞人羈旅天涯，備感厭倦，這時不禁愁張惠言詞選：語意明顯，淒婉至不能卒讀。

思重重，如果重遊舊地，他必會因家國之痛而落下悲傷的眼淚。孤獨也讓他懷念故人，那些南宋時的富貴人家是否還在呢？恐怕也早已敗落，衹留得天寒時倚梅空歎吧。詞人設想故人的淸高，也表達了自己不改初志、忠於故國的操守。

王沂孫

眉嫵・新月

漸新痕懸柳，淡彩穿花，依約破初暝。便有團圓意，深深拜，相逢誰在香徑？畫眉未穩，料素娥、猶帶離恨。最堪愛、一曲銀鉤小，寶奩掛秋冷。　千古盈虧休問，歎慢磨玉斧，難補金鏡。太液池猶在，淒涼處、何人重賦淸景。故山夜永，試待他、窺戶端正。看雲外山河，還老盡桂花影。

詞解　新月初現，如天上一痕，懸掛在柳梢邊，淡淡的月光隱約劃破初臨的夜幕。雖然僅僅衹是彎曲如眉的月牙兒，但在詞人眼中，卻如十五滿月一般蘊有月圓人全之意。朝著新月深深一拜，希冀因此能夠與舊日友人相逢在小路上。仍在漸漸爬昇的新月，好似嫦娥尙未畫完的蛾眉，因其似愁眉，料想嫦娥時至今日仍心懷離愁別緒。最惹人憐愛的莫過於，新月如鉤，掛簾在寒秋之中。

莫要問那月兒千百年來的盈缺，無論再怎樣精心細緻地打磨修月之斧，都難以補全月亮的缺失。太液池雖在，卻早已蕭條冷落、不復當年，還有誰會再賦詩詠歎曾經的盛況。月缺難補，亡國難復，就算是盼到月圓，也衹能在月影中依稀看到故國山河的影像而已。但更加讓人悲傷的是，月缺尙有圓時，而山河破碎卻再也難以恢復。

齊天樂・蟬

一襟餘恨宮魂斷，年年翠陰庭樹。乍咽涼柯，還移暗葉，重把離愁深訴。西窗過雨，怪瑤佩流空，玉筝調柱。鏡暗妝殘，爲誰嬌鬢尙如許？　銅仙鉛淚似洗，歎移盤去遠，難貯零露。病翼驚秋，枯形閲世，消得斜陽幾度？餘音更苦，甚獨抱淸商，頓成淒楚。漫想熏風，柳絲千萬縷。

詞解　昔日忿疾而亡的齊王后，因有滿腔的不甘和憤恨，死後化身爲鳴蟬年年鳴於庭樹的翠葉之中。每年，當天氣稍稍轉涼之時，鳴蟬便輾轉出現在庭樹間。蟬聲如泣如訴，哀切地訴說那齊后與齊王的離別之愁，暗喻戰亂中人民的徙遷之苦。雨過天晴之後的蟬聲，異常宛轉動聽，清脆悅耳。它既像玉佩的相擊聲從空中流過，又像玉箏的彈奏聲從窗外響起。詞人在此暗喻，當時敵騎暫退，於是這些君臣又開始了醉生夢死的生活。隨著天氣轉涼，嗚蟬猶如那無心梳洗打扮的女子一般日漸消瘦。而今又是爲了誰而妝扮得如此美麗呢？詞人於此暗諷群臣，不關心國家的興亡、百姓的死活，衹顧奢靡享受，醉生夢死。

昔日仙人面對被拆的承露盤，不禁潸然淚下。承露盤既已遠遷，秋蟬也就失去了自己的安身之所，就如國破家亡之後的詞人一般，淒苦無助，無處可依。此時的詞人已是歷盡世事滄桑、形銷骨立，風燭殘年，就像那秋天的蟬兒一般，即將不久於人世，還能再經歷幾回夕陽日暮？如今的蟬聲，聽來滿是曲調淒涼的清商之音，甚是淒苦悲涼。已是殘秋時節，嗚蟬所能做的不過是，追憶從前夏日微風吹拂過千萬縷的柳絲，對詞人而言，曾經北宋的太平盛世，也是一去不復返了。

彭元遜

疏影·尋梅不見

江空不渡，恨蘼蕪杜若，零落無數。還道荒寒，婉娩流年，望望美人遲暮。風煙雨雪陰晴晚，更何須、春風千樹。盡孤城、落木蕭蕭，日夜江聲流去。

日晏山深聞笛，恐他年流落，與子同賦。事闊心違，交淡媒勞，蔓草沾衣多露。汀洲窈窕餘醒寐，遺佩環、浮沉澧浦。有白鷗、淡月微波，寄語逍遙容與。

詞解　這首詞言尋梅，並非真尋梅，而是借梅託意，抒發懷念故國故友之情。梅花並未隨著春風渡江而來，詞人尋梅不見，不禁怨恨種種香草都早早零落了。衹怕是環境荒寒，流年匆匆，梅花就像美人遲暮一樣早已開過了。其實，風景依舊而江山易主，縱使有千樹梅開，又有誰人欣賞呢？詞人獨處淒涼，他看到落木蕭蕭的蕭索之景，聽到江流日夜東流的聲音，怎麼能不感到萬分愁苦呢？

天色漸晚，詞人在山中聽到笛聲，他不禁懷念起遠方的友人。詞人感到生不逢時，事與願違，理想難以實現，世人往往交情淺淡，詞人用楚辭舊典，表達了他對友人流落的關切和願與友人患難與共的心願。既然世事不可違，詞人寧願與白鷗欣賞淡月清波，過著逍遙閑適的自在生活。以淡遠的筆致傳達出寄期願於渺茫的惆悵，意境深遠。

六醜・楊花

似東風老大，那復有、當時風氣？有情不收，江山身是寄，浩蕩何世？但憶臨官道，暫來不住，便出門千里。癡心指望回風墜，扇底相逢，釵頭微綴。他家萬條千縷，解遮亭障驛，不隔江水。　瓜洲曾艤，等行人歲歲。日下長秋，城烏夜起，帳廬好在春睡。共飛歸湖上，草青無地。愔愔雨、春心如膩。欲待化、豐樂樓前帳飲，青門都廢。何人念、流落無幾。點點摶作，雪綿鬆潤，爲君浥淚。

詞解 這是一首詠楊花的詞。暮春時節，東風仿佛已經衰老，楊花雖然有情卻誰也不收，在遼闊的江山間飄蕩，身世零落如寄，不知時變世易。回想當時臨官道，不料出門便被風吹落千里。楊花雖然飄蕩無依，但仍眷戀著美人的輕扇和釵頭，癡心指望能被風吹回與美人在一起。別人家的千萬縷柳絲，懂得遮掩長亭，屏障驛站，但不會隔斷滔滔的江水。而楊花孤身飄零，或依舟於瓜洲渡口，或飄下於長秋宮殿，或春睡於帳廬，或流離於湖上。綿綿細雨之後，楊花就要粘濕不能飛，不能赴豐樂樓餞別行人，不能去青門伴隨高士隱居，但卻依然春心不改，依然有著至死不渝的柔膩纏綿之情。楊花一生流落，生命短暫，可是有誰會憐惜它呢？大概衹有同樣身世坎坷的詞人會將點點楊花揑作雪白鬆潤的一團，來擦去眼角的淚水吧。楊花有情而世道無情，絲絲裊裊隨風飄零天涯，詞人向楊花深致傷悼，實爲自身命運之傷悼。

僧 揮

金明池

天闊雲高，溪橫水遠，晚日寒生輕暈。閑階靜、楊花漸少，朱門掩、鶯聲猶嫩。悔匆匆、過卻清明，旋佔得餘芳，已成幽恨。卻幾日陰沉，連宵慵睏，起來韶華都盡。　怨入雙眉閑鬥損，乍品得情懷，看承全近。深深態、無非自許，厭厭意、終羞人問。爭知道、夢裏蓬萊，待忘了餘香，時傳音信。縱留得鶯花，東風不住，也則眼前愁悶。

詞解 這首詞爲傷春懷人之作。長天空闊，白雲高遠，小溪橫在眼前，溪

張炎詞源以俚詞歌於坐花醉月之際似乎擊缶韶外良可嘆也

水汩汩流向遠方，傍晚時輕寒生起淡淡的日暈。庭院裏十分安靜，隨風飄飛的楊花已漸漸少了，朱門輕掩，已到了暮春時節，祇有黄鶯的啼聲還同從前一樣嬌嫩，這暮春景象令詞人感慨萬分。時光易逝，一過了清明，各種各樣的花兒就要陸續凋謝了，枝頭祇疏疏落落地留了一點兒殘英。這本已讓人悵恨，更何況連著幾日陰沉的天氣，詞人幾日慵睏，等他起來時連疏落的殘花也都落盡了，這怎不讓人傷感呢？

面對著暮春景致，詞人滿懷都是傷春心事。春去無情，更因春而思人，滿懷怨恨讓他雙眉緊蹙，剛品得這份情懷，自然特別看待、極其親近。情動於衷而形於表，詞人因春去而心怨，因心怨而神形繾綣，終日精神萎靡，羞人問詢。誰知道，他在夢裏又與心上人相會，待忘了餘香，卻又時時傳遞音信。可是縱然留住了黄鶯和鮮花這等美麗的春景，東風不停留，還是無法消除詞人心中的愁悶。因爲春去僅是引子，最傷心處，並非春天美景消逝，而是時間流逝人老去，春天可以再來，人卻難以再少！無言之傷，盡在其中矣。

李清照

醉花陰

薄霧濃雲愁永晝，瑞腦消金獸。佳節又重陽，玉枕紗廚，半夜涼初透。　東籬把酒黄昏後，有暗香盈袖。莫道不消魂，簾捲西風，人比黄花瘦。

詞解　因爲思念那離別的丈夫，獨守閨中的寂寞就愈發顯得難以排遣。相思和離愁就如薄霧和濃雲一般，或淡或濃始終縈繞在詞人心頭。又到了重陽佳節，天氣漸漸轉涼。香爐裏燃燒著的香料，正散發出微微的香氣，在紗帳裏安睡的詞人，半夜醒來已感覺到初秋的涼意遍徹全身。

黄昏的時候她在盛開的菊花叢邊飲酒閑坐，歸家之後，袖子裏仍有菊花幽幽的香氣。不要以爲這種獨守閨中的寂寞離愁，不會讓人黯然銷魂，當西風吹過，拂開那門上的珠簾，你會發現那裏面的人兒比地上凋零的菊花還要憔悴。

永遇樂

落日熔金，暮雲合璧，人在何處？染柳煙濃，吹梅笛怨，春意知幾

王灼碧雞漫誌：易安作長短句能曲折盡人意，輕巧尖新，姿態百出。

許？元宵佳節，融和天氣，次第豈無風雨？來相召，香車寶馬，謝他酒朋詩侶。　中州盛日，閨門多暇，記得偏重三五。鋪翠冠兒、捻金雪柳，簇帶爭濟楚。如今憔悴，風鬟霧鬢，怕見夜間出去。不如向，簾兒底下，聽人笑語。

詞解 黃昏時分，落日猶如熔煉的黃金一般燦爛奪目，暮雲瀰漫合攏，如珠聯璧合。眼前的日暮之景仍如從前一般美妙絕倫，可如今卻已是國破家亡、人事全非，衹剩得詞人到處漂泊，孤苦無依。新春時節，梅花已漸漸凋殘，剛吐新芽的柳枝遠望如被濃濃的綠霧籠罩一般。空氣裏充斥著春天的氣息，而這與詞人又有多少相干呢？正是元宵佳節，酒朋詩侶紛紛駕車乘馬前來，相邀一起賞春遊玩。可歎，天氣就如人生一般禍福難料，此刻雖然天氣晴好，誰又知道轉眼之間不會風雨大作？於是詞人謝絕了友人相約，獨自呆在家中。

想起北宋滅亡之前中原繁華興旺的時候，尚是閨中少婦的詞人有很多閑暇時日，而時至今日她懷念最多的就是元宵佳節。那時的詞人整飭嚴妝，滿頭插戴，整齊靚麗，而如今卻是風塵勞碌，頭髮散亂不修。世事滄桑變遷，詞人已無心在元宵之夜在街市上賞燈娛樂，她怕觸景傷情徒惹傷感，衹好在門簾底下，聽人談笑，聊爲排遣。

一剪梅

紅藕香殘玉簟秋。輕解羅裳，獨上蘭舟。雲中誰寄錦書來？雁字回時，月滿西樓。　花自飄零水自流，一種相思，兩處閑愁。此情無計可消除，纔下眉頭，卻上心頭。

詞解 初秋時節，池中的荷花已開始衰敗，床上的竹席也有了些微的涼意。丈夫遠遊他方，詞人百無聊賴，她輕輕地解開了綢羅的裙子，換上便裝，獨自登上小舟遊玩來排遣心中的寂寞和離愁。忽聽得雁鳴，她抬頭望見南歸的雁群，希冀它們能捎來遠方遊子的書信。在詞人的想象中，正當她獨倚在灑滿月光的高樓上遠望和思念丈夫的時候，大雁就會捎回身在異鄉的丈夫的書信。

花瓣凋零飄落在流水之中，悠悠江水空自流淌，自然界的事物更增添了詞人的惆悵。她既爲自己紅顏易老而感慨，更爲丈夫不能和自己共享青春而讓它白白地消逝而傷懷。詞人與丈夫雖分隔兩地，但他們彼此思念，分別

陳廷焯白雨齋詞話十四疊字不過造語奇雋耳詞境深淺殊不在此執是以論詞不免魔障

的離愁卻是一樣的。這種離愁無論用什麼辦法都無法消除，剛剛撫平皺起的眉頭，卻又發現它已縈繞糾纏在心頭。

聲聲慢

尋尋覓覓，冷冷清清，淒淒慘慘戚戚。乍暖還寒時候，最難將息。三杯兩盞淡酒，怎敵他、晚來風急。雁過也，最傷心，卻是舊時相識。　滿地黃花堆積，憔悴損，如今有誰堪摘？守著窗兒，獨自怎生得黑？梧桐更兼細雨，到黃昏、點點滴滴。這次第，怎一個愁字了得？

詞解　已是深秋時節，儘管詞人不停地在四周尋覓，希望能看到尚未殘敗的景色，然而觸目所及卻盡是冷寂蕭然，讓人愈發覺得淒慘悲戚。忽冷忽熱的時節，最難以將養。喝下的三杯兩盞淡酒，又怎麼能抵擋得了傍晚忽如其來的寒風呢？詞人抬頭望見了自北而南的大雁，她本已因爲親人音書斷絕而傷心落淚，卻又發現這雁還是當年寄錦書給丈夫的舊相識，雁依舊而人已亡，今昔兩照，倍感悲涼，怎能不讓她肝腸寸斷、撕心裂肺？

看著院子裏滿地堆積的菊花，憔悴衰敗。如今的詞人，夫亡家破，還有誰能和她一起摘菊、賞菊？衹能聽任那些花兒獨自綻放，又獨自凋零飄落。她獨自一人癡癡地坐在窗前，不禁自問：怎麼纔能熬過這漫漫長日，等得到天黑？細雨綿綿，飄灑在梧桐樹上，直到黃昏仍未停息，梧桐葉上的雨水滴在臺階上，一點一滴，聲聲敲打在詞人心上。面對此情此景，這一次，單單一個「愁」字怎麼能說得清，怎麼能說得盡呢？

鳳凰臺上憶吹簫

香冷金猊，被翻紅浪，起來慵自梳頭。任寶奩塵滿，日上簾鉤。生怕離懷別苦，多少事、欲說還休。新來瘦，非干病酒，不是悲秋。　休休，這回去也，千萬遍陽關，也則難留。念武陵人遠，煙鎖秦樓。惟有樓前流水，應念我、終日凝眸。凝眸處，從今又添，一段新愁。

詞解　在獸形銅香爐裏燃燒的香料早已熄滅，詞人起床後懶於收拾摺疊紅錦被，任它胡亂翻捲在床上。因爲丈夫負笈遠遊，獨守閨中的詞人直到日上簾鉤仍無心梳洗妝扮，聽任梳妝匣上佈滿灰塵。詞人平生最怕的就是離愁別緒，多少寂寞煎熬，衹能在心裏默默忍受，偶爾想要說出口，卻又怕說了之後，愁上加愁，衹好欲說還休。最近身體漸漸消瘦，不是因爲飲酒過多而生病，也不是因爲悲秋而傷神，眞正讓人黯然銷魂的衹有離別啊！

罷了，罷了！丈夫的這次遠行已定，縱然唱千萬遍「陽關」之曲，也難以挽留。如今丈夫遠行未歸，詞人獨居於煙霧迷濛的樓中，整日凝望著樓前潺潺的流水，她的心情無人瞭解，衹有樓前的流水應該知曉她對遠遊人的思念和那難以排遣的離愁。遠方的遊人時至今日仍未歸來，詞人心中鬱積的寂寞也隨著時間的推移而不斷堆積，她終日倚樓凝望，不知又增添了多少哀愁。

點絳唇

蹴罷鞦韆，起來慵整纖纖手。露濃花瘦，薄汗輕衣透。　見客入來，襪剗金釵溜。和羞走，倚門回首，卻把青梅嗅。

詞解　這首詞通過富有個性化的一連串動作，形象地描繪了一個天真活潑的少女形象。有次她從鞦韆橫板上一躍而下，懶洋洋地擦拭那雙嬌嫩的小手。這是一個春夏之交的早晨，汗水從輕薄的衣衫裏透出，就像纖細的花枝上霑滿了濃密的露珠。

正在她沉迷於自我陶醉並想放鬆之時，猛然間看到來了一個人，她慌忙中跑掉了鞋子，以襪著地飛快地躲到了半掩著的門後，頭上的金釵也滑落了下來……片刻之後，她覺得自己的狼狽相已被門遮住，於是悠閑地倚門嗅梅並調皮地回過頭去察看這位不速之客。

漁家傲

天接雲濤連曉霧，星河欲轉千帆舞。仿佛夢魂歸帝所，聞天語，殷勤問我歸何處？　我報路長嗟日暮，學詩謾有驚人句。九萬里風鵬正舉，風休住，蓬舟吹取三山去。

詞解　全詞爲我們展現出了一幅遼闊、壯美的海天一色的畫卷：四垂的天幕、洶湧的波濤，還有瀰漫的雲霧交織在一起。從顛簸的船艙中仰望天空，天上的銀河好像在轉動一般。海上颳起大風，無數的舟船在風浪中飛舞前進。一縷夢魂仿佛昇入天國，天帝問我到何處去。

我回報天帝說，自己不憚長途遠征，衹求日長不暮，以便尋覓天帝，不辭上下求索。學作詩，空有妙句人稱道。長空九萬里，自己也想像鵬鳥一樣高飛遠舉。風啊！千萬別停息，將我這一葉輕舟，直吹到三山去吧！這首詞把眞實的生活感受融入到夢境中，巧妙地將夢幻與生活、歷史與現實結合起來，氣度恢宏、格調雄奇，充分顯示詞人性情中豪放不羈的一面。

如夢令

嘗記溪亭日暮，沈醉不知歸路。興盡晚回舟，誤入藕花深處。爭渡、爭渡。驚起一灘鷗鷺。

詞解　這首小令用詞精煉，衹選取了幾個片斷，就將動態的風景和詞人怡然的心情融合在一起，寫出了詞人青春年少時的好心情。紅日西沈，晚霞映照著溪亭，玩了一天的遊人漸漸歸去，唯有年少的詞人依依不捨，流連忘返。湖上嬌美的荷花向她綻開笑臉，輕柔的晚風推著她的小船。她情不自禁地蕩起雙槳，向前划去，竟不知不覺誤入了荷花深處。她用足力氣，急忙划船，驀然間響起一陣撲簌簌的聲音，原來沙灘上的沙鷗和鷺鳥都被她驚飛了。刹那的驚悸之餘，又會叫人忍俊不禁，以至於事隔經年，那時的情景還深印在她的腦海之中。至此，詞戛然而止，言盡而意未盡，令人回味無窮。

如夢令

昨夜雨疏風驟，濃睡不消殘酒。試問捲簾人，卻道海棠依舊。知否，知否？應是綠肥紅瘦。

詞解　昨夜雨狂風猛，當此芳春，名花正好，然而風雨來的如此急迫，女主人心緒如潮，難以入睡，衹有借酒消愁。酒吃得多了些，覺也就睡得濃了。結果一覺醒來，天已大亮。但昨夜的心情，卻已然如隔胸，所以一起身便要詢問時刻掛念之事。於是，她急問收拾房屋、開戶捲簾的侍女：「海棠花怎麼樣了？」侍女竟然說海棠花依然如故。女主人聽了，嗔歎道：「傻丫頭，你可知道那海棠花叢已是花朵稀少，枝葉繁茂了嗎？」詞人爲花而喜，爲花而悲，爲花而醉，爲花而嗔，實乃傷春惜春，以花自喻。短短幾十字的小令，有人物，有場景，還有對白，充分顯示了宋詞的語言表現力和詞人的卓越才華。

臨江仙

歐陽公作《蝶戀花》，有「深深深幾許」之語，予酷愛之。用其語作「庭院深深」數闋，其聲即舊臨江仙也。

庭院深深深幾許？雲窗霧閣常扃。柳梢梅萼漸分明。春歸秣陵樹，人老建康城。　感月吟風多少事，如今老去無成。誰憐憔悴更凋零。試燈無意思，踏雪沒心情。

詞解　此詞貌似在寫閨情，實則飽含國恨。春歸大地，然而詞人卻無心賞春，獨自閉門幽居，自憐漂泊。窗外柳梢吐綠，梅萼泛青，一片早春、大地復甦的風光，意謂南宋偏安又一度春光來臨了，可是中原恢復大業竟至蹉跎，看來北人將老死南陲矣！

昔日與丈夫共迷金石、烹茗煮酒、吟詩作畫的幸福生活已被打碎，如今孤身一人，年老飄零。建炎之初，詞人抒寫了許多語悲意明的政治詩，希望朝廷能以江山社稷、百姓蒼生爲重，誰知南宋竟一直沉迷於偏安一隅。詞人面對著南渡偏安的悲劇，既爲北宋之亡感到惋惜，又對平生所業盡付東流而感到心痛，百感交集。破碎山河無人收拾，詞人憔悴瘦損，流落江南，哪裏還有心情賞燈踏雪啊！

武陵春

風住塵香花已盡，日晚倦梳頭。物是人非事事休，欲語淚先流。　聞説雙溪春尚好，也擬泛輕舟。衹恐雙溪舴艋舟，載不動、許多愁。

【詞解】這首詞借暮春之景，抒發了詞人内心深處的苦悶和憂愁。一陣疾風過後，落花遍地，塵土中也有了落花的香味。日已上三竿，可詞人卻懶得梳理頭髮，人事俱非，心裏有多少話，不等説出就已經淚流滿面。

聽説雙溪那裏春景尚好，詞人想要乘舟前往，衹是那雙溪的小舟能夠載下這滿腔的愁緒嗎？詞人繼承了傳統的詞的作法，採用了類似後來戲曲中的代言體，以第一人稱的口吻，用憂鬱深沉的旋律，塑造了一個孤苦淒涼無依無靠的才女形象。全詞一唱三歎，語言優美，意境深遠，有言盡而意不盡之感。

王世貞弇州山人詞評三瘦字俱妙

書香傳家系列叢書簡介

經

《詩經》

「關關雎鳩，在河之洲。窈窕淑女，君子好逑」描繪了人世間最真摯的愛情；「碩鼠碩鼠，無食我黍」表達了對不勞而獲的剝削者最深刻的厭惡；「知我者謂我心憂，不知我者謂我何求」抒發了對國家興亡最深切的憂慮。這些我們耳熟能詳的詩句，都出自《詩經》。《詩經》位居儒家「五經」之列，其文學價值是無需多言的。作爲中國史上第一部詩歌總集，它的內容極爲宏大豐富，刻畫了淳樸的風俗，讚揚了英勇的戰士，歌頌了神聖的祖先，記述了真實的歷史。這裏有懇切的批評，又有委婉的諷喻；有樸實的話語，又有華美的辭章；有直率的表達，又有微妙的思緒。孔子說：「不學《詩》，無以言」，這些璀璨的詩句依然是中國人今天抒發情感時無法超越的形式，它們朗朗上口、雋永豐沛。在幾千年後的今天，讓我們依舊能與華夏先民呼吸相聞，感受一種跨越千年的浪漫。「腹有《詩》《書》氣自華」，衹有讀了《詩經》，纔知道什麼是文明而化。

《周易》

《周易》可以說是中國古老經典中的經典，它的作者據說是周文王姬昌，其在伏羲八卦基礎上推演而成，後來又經過孔子的修訂，直到現在，已有三千多年的歷史。很多人都認爲《周易》是一部用來占卜算命的書，這確實僅是它的功能之一，在生產力落後的前科學時代，它相當於一個簡單的搜索引擎，凡有疑難之事，都可以通過《周易》的指引，找到解決的辦法。但是，到了科學昌明的今天，《周易》的義理依然不朽，衹是其占卜算命功能已經大大地被弱化。它真正吸引人們的是它對歷史、民俗、文學、哲學、政治、中醫藥學等各個領域的兼容與覆蓋，可以說，《周易》通過陰陽、性象的變化來闡述生命的學問、宇宙的真理、智慧的源泉、社會的規律，用卦爻符號和爻辭，構成了一個神秘的文化殿堂，描述了中華古人對於宇宙奧秘和生命密碼的獨特認識，這也是我們今天讀《周易》的意義所在，它能夠讓我們透過紛繁複雜的表面，直接看透背後的本質。

《論語》

假設孔子讓班長子路建立一個班級群，把曾子、顏淵、子夏、子貢等人都拉進去，大家不但可以在群裏直接討論問題，還可以在彼此的朋友圈互相評論。於是有人選取了聽課中最有用、有趣、有意義的內容，整理成一本書，就叫《論語》。孔子感嘆「沒人瞭解我」，卻告訴學生「別怕沒人瞭解你，衹怕自己沒本事」。他的一生是充滿失意和詩意的，他的思想主張不被當世爲政者所接受，但他「一以貫之」「不怨天，不尤人」「下學而上達」，以文化傳承爲使命，開私學之先河，創立了儒家學派。孔子自稱「述而不作」，衹講課不創作，他編的六種教科書，主要材料也來自古代文獻，被稱爲「六經」。所以，記錄孔子言行的《論語》，反倒保存了原汁原味的孔子學說。《論語》中的孔子，不衹是莊嚴的至聖先師，更是一個有喜怒哀樂情感的教書先生。他會誇勤奮、聰明的學生，會罵懶惰、頑固的弟子，高興了會唱歌，傷心了會哭泣。閱讀《論語》，可以從中獲得思想的啟迪、人格的提升、情感的激勵，以及文學的享受，它是每一位中國人的必讀之書。

《孟子》

說起儒家思想，必定繞不開「孔孟之道」。這裏的「孟」，就是被尊爲「亞聖」的孟子。與一般「溫良恭儉讓」的儒生形象不同，孟子留給人們的印象更多是剛毅、自信和執著，這些特質在他和弟子所著的《孟子》中都得到了展現。《孟子》在南宋後被作爲「四書」之一。讀起來很好玩，因爲裏面大部分都是小故事、小對話，而書中孟子的形象也非常鮮明、立體，就像是生活在我們身邊的一位倔強、驕傲而善辯的小老頭。很多時候，他會玩兒一些「套路」，讓談話對象掉入自己事先挖好的「坑」裏，最後逼得對方衹能「顧左右而言他」，他還會通過裝病來表達自己的不滿，就像個跟人賭氣的孩子一樣。當然，我們讀《孟子》的意義絕對不止於此，它之所以過了兩千多年仍被奉爲經典，是因爲孟子對「修身、齊家、治國、平天下」進行了透徹的闡述，讓我們在讀過之後能夠擁有強大的內心，能夠有所爲有所不爲，能夠有所捨有所得，這不僅對每個人的生活和工作有著重要的指導意義，對於我們弘揚優秀傳統文化、實現國家的文化自信也大有裨益。

《山海經》

有一種草可以治療抑鬱，有一種魚喫了就不再畏懼打雷，有一種樹見到就不會迷路，有一種獸甚至可以喫掉龍，它們都是什麼呢？這是一部記載了「五方之山」「八方之海」「珍寶奇物」的古代實用地理書。該書刻畫了「鯀禹治水」「女媧造人」「夸父逐日」的神話故事，也有對於顓頊和黃帝的很多記述，被稱爲「古之語怪之祖」。在魯迅筆下，這是阿長心心念念送他的禮物，其中包含上古時期的地理、歷史、神話、天文、動物、植物、醫學、宗教以及人類學、民族學、海洋學和科技史等知識。在紀曉嵐編纂的《四庫全書總目提要》中，它是地理書的首要，還被稱之爲最古的小說。它甚至是一些誌怪和盜墓小說中怪事、怪物的總來源、總發端，「紅毛犼」「錦鱗蚺」甚至「痋術」等，已經是年輕人熟悉的神獸。這就是《山海經》，一部誕生於遠古時期，極富想象力的驚世駭俗之作。它的奇詭玄妙，使今天的年輕人腦洞大開，啟發人們體悟天、地、人、神、獸、怪的無窮奧秘。讀《山海經》，去探尋遠古時期影響思想觀念的洪荒之力，去求索華夏五千年文明的初心與神秘。

《史記精華》

《留侯世家》記載，破落貴族張良偶遇圯橋老人，得到《太公兵法》，學成後輔佐劉邦，「爲王者師」。他與衆將談論《太公兵法》，沒人聽得懂；劉邦聽了，卻能善用其策。張良說：「大概沛公是上天授命之人啊！」《史記》既是史書，又是一部政論集。政論家寫文章大多引經據典，司馬遷著《史記》是用更完備的史料論證自己的觀點。所以說司馬遷的偉大，不衹是記載了黃帝至漢初的歷史，而是在於他「究天人之際，通古今之變，成一家之言」。這「一家之言」，說的就是他的人生觀、歷史觀、宇宙觀。他信命而不認命，自強不息，具有悲天憫人的情懷。所以他借「圯橋進履」的傳說，證明劉邦是真命天子，卻又敢於對劉邦等得天命者犯下的錯誤提出批評，對懷才不遇、蒙受冤屈的人則報以同情。《史記》全書一百三十篇，五十二萬餘字，《史記精華》從中擷萃名篇，既不辜負太史公的良苦用心，又能讓今人感受輕鬆愉悅的閱讀體驗，從歷史的興亡中體悟天道與人事，品味「無韻之離騷」。

《資治通鑑精華》

孟子說：「孔子成《春秋》而亂臣賊子懼。」《春秋》大義，被歷代史家奉爲法則。唐末五代，藩鎮割據，天下大亂，人心不安。在那個兵強馬壯者就能當皇帝的時代，誰會在乎倫理與秩序？整個社會都迷失了方向。北宋建立後，結束了國家分裂的局面，人心思定，所以史家想要借《春秋》大義重建社會價值體系。先有歐陽修的《新五代史》，後有司馬光的《資治通鑑》。一部《資治通鑑》，二百九十四卷，三百多萬字，以編年體的形式展現了戰國至五代時期一千三百餘年的歷史。若你無暇通讀全書，又想有所涉獵，卻無從下手，《資治通鑑精華》就是爲你指點迷津、得以一窺這部史學巨著之端倪的捷徑。因爲本書所選篇目緊扣原典的主旨，以治亂興衰爲借鑒，以大義名分爲原則，涵蓋了歷代的主要大事件。在這個日新月異、信息爆炸的變革時代，你有沒有迷失方向？不妨嘗試從歷史中探尋安身立命之道。閱讀本書，上可以參悟人生，明白得失，中可以洞悉人心，增長閱歷，下可以充實學識、增加談資。

子

《六韜·三略》

很多人一提起「兵法」，首先想到的往往是《孫子兵法》《三十六計》，卻不知道《六韜·三略》絲毫不遜於前兩者。嚴格說來，《六韜》《三略》是兩本書。《六韜》作者是被譽爲「兵家之祖」的呂尚，也就是大名鼎鼎的姜子牙。《三略》的作者則是「張良拾履」故事裏的那位神秘老人黃石公。自古以來，《六韜·三略》就被譽爲「兵家權謀之祖」，姜子牙靠它輔佐武王興周滅紂，張亮靠它幫助劉邦定咸陽、滅項羽，建立西漢王朝。有人說《六韜·三略》這樣的兵法衹適合在古代使用，這是大錯特錯的。因爲即使到了今天，也仍然有很多企業管理者把《六韜·三略》奉爲經典，並將它用於商業競爭、企業管理。雖然這是一本兵書，但它卻可以讓人擁有細緻的邏輯思維能力，學會如何從全局進行運籌和謀劃，學會如何鑒別和使用人才。就算是普通人，也可以在讀通《六韜·三略》之後，在自己的生活和工作中找準方向，實現最大的價值。

《孫子兵法》

在中外歷史上，有多少戰績輝煌的名將，隨著時間的推移，全都逐漸被遺忘了，但被稱爲「東方兵學鼻祖」的孫子以及他的《孫子兵法》，不僅沒有被忘卻，反而越發引起了人們的重視和崇敬。

《孫子兵法》自誕生至今已有兩千多年，在古代，它被廣泛地應用於戰爭，包括戰略戰術的制定、情報的搜集、戰區的選擇、攻防的轉換、作戰時機的選擇等；到了以「和平」爲主旋律的今天，全世界範圍內，《孫子兵法》都產生了極爲重要和廣泛的影響力。除了繼續在軍事、政治、外交等方面發揮重要作用和影響之外，《孫子兵法》還廣泛用於經濟、教育、商業、體育等各個領域，哈佛大學商學院甚至要求學生記誦《孫子兵法》的某些章節，以備日後經商之用。對我們普通人而言，通過《孫子兵法》來瞭解孫子的軍事思想，然後將其靈活轉化、應用，也足以給我們的學習、工作、生活帶來巨大的幫助。

《道德經》

春秋末年，天下戰爭頻仍，周朝守藏室之史老子棄官歸隱，騎青牛來到函谷關。官令尹喜求其寫下五千言，隨後西行，不知所蹤。《道德經》含有深刻的東方哲學思想，至今仍是人們認知宇宙與人生的經典，也被稱爲「玄而又玄」的學問。老子並非首倡尋找萬物總規律的人，從伏羲氏就認爲宇宙的一切總有一個根源，他沒有辦法用文字來說明，所以一畫開天，叫做「象」。那麼，把握規律就稱爲「執象」。由於執象依然有迷茫，於是纔有老子破象而立道。但是，「道」究竟是什麼？老子說：「道可道，非常道。」他認爲衹有「致虛極，守靜篤」，「清靜無爲」纔能顛覆性地掌握變化中的規律。現在人類的物質文明已獲得了高度發展，但是人類並沒有獲得幸福感，人類執迷於「有」，一再忽視老子的提醒「有生於無」。《道德經》於今人依然是最爲實用的經典，它可以重新梳理外在所有因素的趨勢，可以重新建立整體行動的框架，可以從身體的修真來鏈接萬物，由此來突圍今天人類的多重困境。

叢書簡介

《鬼谷子》

他隱於世外，卻操縱天下格局；他的弟子出將入相，左右著列國的存亡，推動著歷史的走向。這個人因此被尊爲「謀聖」，他就是鬼谷子。鬼谷子其人，神秘莫測，關於他的身世，衆説紛紜。相傳他隱居在雲夢山鬼谷，所以自稱鬼谷先生。他門下弟子孫臏、龐涓，都是用兵打仗的能手；另外兩個弟子蘇秦、張儀，憑三寸之舌推行合縱連横之術，收到的奇效抵得上千軍萬馬。這樣的奇人留下的一本奇書——《鬼谷子》。該書原文祇有五千多字，卻是縱横家流傳至今爲數不多的代表著作之一，論述縱横捭闔的秘訣。比如其中「欲取先予」的處世哲學，擴散開來就包含了很多個維度：從戰場上臨強示弱、扮豬喫老虎，到營銷上滿減贈送的優惠項目，再到投資領域的賭徒心理，都跟這四個字分不開。如果祇是把《鬼谷子》當成運用謀略、揣摩人心的教科書，就低估了其價值。書中還包括軍事、政治方面的知識，甚至還有養生的學問。《鬼谷子》包羅萬象，是先秦諸子學中的一顆璀璨明星。

《莊子》

莊子貌似窮困潦倒，但是他卻因精神超拔而早已名聲在外。楚威王曾派人來聘請他做官，祇見他正坐在河邊悠然垂釣。莊子卻指著水裏搖著尾巴游泳的烏龜，對使者説：「與其做一隻被宰殺後供奉起來的神龜，不如像它一樣自由自在。」莊子是戰國時期道家學派的代表人物，繼承了老子「無爲」的哲學思想，並且在宇宙觀、社會德用和養生氣論上均有推進。他所認爲的自由，是無所憑依的，是順其自然的。正如鯤鵬變化，扶搖直上九萬里，這纔是逍遥的境界。莊子又借小蟲、小鳥之口嘲笑大鵬，反映了淺陋之人難以領悟大道的真諦。然而大鵬畢竟要御風而行，相比之下，無所憑依的風纔是絶對自由的象徵。在别人眼中，窮困潦倒是苦，莊子卻以不受名利的牽累爲樂。如果我們在工作和生活中遇到了一時過不去的坎兒，不妨用《莊子》化解内心的困頓與焦慮，用「忘我」乃至「無我」的大智慧，用遨遊天際的視野，面對現實的世界。

《世說新語》

年輕人必定向往「惟大英雄能本色，是真名士自風流」的生活，所以他們不會錯過一本被魯迅先生稱爲「名士教科書」，被今人叫作「名人酷生活實錄」的精選集。這本書記載了東漢末年到魏晉期間一批名士的言行。何爲名士？泛指知名人士，特指恃才自傲、不拘小節的牛人。因爲學者們的集體喜愛，特向國家教育管理機構推薦該書，進入中小學生的必讀書目。它就是《世說新語》。

沉浸書中，我們將置身於一個比現在更重視「顏值」的時代，領略魏晉名士們如何「一生不羈放縱愛自由」；嵇康、阮籍、劉伶們敏捷的才思、優雅的舉止、曠達的胸懷，甚至種種狂放怪異的言行，無不彰顯著自然率真的性情，彰顯著處於青年時代的中華文明那昂揚湧動著的生命力。我們可以品味到它的語言之美、生活之美、哲思之美，更能夠從中找尋到自己內心未被喚醒的詩意與對現實的超越。

《千字文》

《千字文》是一篇奇文，其問世充滿了傳奇色彩。梁武帝喜歡王羲之的書法，就命人從王羲之的真跡中找出一千個不同的字來教子孫識字、練字，卻因雜亂難記，而沒有取得太好的效果。梁武帝就找來員外散騎侍郎周興嗣，讓他將這些字編成一篇通俗易懂的文章。周興嗣花了一整夜時間，編撰出一篇條理清晰、引經據典的韻文，不但文采超然，而且上至天文，下及地理，中曉人和，將各種知識熔爲一爐，實爲一部生動的小百科全書。周興嗣也因用腦過度，導致一夜之間鬚髮皆白。由於漢字簡化、異體字合併，所以現在《千字文》並不是一千個不同的漢字了。儘管如此，也無損其文采。作爲傳統啟蒙讀物，《千字文》的影響力延續至今。胡適從五歲開始念「天地玄黃，宇宙洪荒」，直到他當了十年教授，還在回味這兩句話，可見《千字文》義理之妙。我們可以從中感悟中國古老的宇宙觀，體會古人修身的規範和原則，讚歎燦爛的歷史文明，在恬淡的心境中安然自處。

《百家姓》

說起姓氏，人們熟悉的是成書於北宋初年的《百家姓》，它是我國流行時間最長、應用範圍最廣的蒙學教材之一，與《三字經》《千字文》並稱爲「三百千」。雖然《百家姓》的内容沒有文理，但讀起來朗朗上口，易學易記，可以讓孩子認識漢字，也可以指導孩子們的日常生活，建立好的生活習慣。愼終追遠，姓氏可以讓孩子們瞭解祖先的血脈延續，積累和傳承家族文化。從遺傳基因學上形成華夏民族的血脈相連與共同認知。光宗耀祖，詩書繼世，是中國農耕社會的優良傳統。姓氏文化在中國五千年多年的文明史中擔當重任，戰國時期的《世本》，較早地記載了從黃帝到春秋時期天子、諸侯、大夫的姓氏、世系、居邑，但是這本書到宋朝就失傳了。總之，要想瞭解中國源遠流長的姓氏文化，《百家姓》是一本必備的簡易入門書籍。「書香傳家」系列的《百家姓》，不但介紹了每個姓氏的由來，還列舉了各個姓氏的名人，兼具知識性與趣味性。

《容齋隨筆》

上過學的人都知道筆記的重要性，然而老師講的課是一樣的，學生的筆記卻各不相同。現在學霸的筆記備受推崇，因爲展現了他們卓越的學習方法和對知識的思考。古代文人記筆記的習慣由來已久，魏晉南北朝就有常璩的《華陽國志》、干寶的《搜神記》、劉義慶的《世說新語》等名作，這些筆記小說大多是見聞隨筆，或從書中摘錄片段的合集。唐宋以後，歷史掌故、辯證考據類的筆記多了起來。《容齋隨筆》爲南宋大才子洪邁（號容齋）耗時四十年整理而成，一共分爲五部分，有七十四卷，含一千二百多則，歷史掌故、典章制度、社會風俗、天文曆算、文學藝術，無不涵蓋，特別是歷史人物、歷史事件相關的内容，考證十分詳實，議論頗有見地，還糾正了不少經史中的錯誤，是宋人筆記中内容最豐富、學術價值最高的一部。《容齋隨筆》是一本國學百科全書，當成學霸的筆記來讀也未嘗不可，一方面可以增長見聞，一方面可以領悟讀書的方法，並以此爲博覽經史原典的敲門磚。據史料記載，偉人毛澤東生前非常喜愛閱讀此書，直至離世前仍由工作人員爲其閱讀該書部分内容。

《三字經》

在中國傳統的啟蒙書籍中，《三字經》必然是最經典的一部，幾乎人人都熟悉開頭那兩句——人之初，性本善。這三字一句的形式，很具備兒歌的特點，易於誦讀和記憶。《三字經》雖短卻精，且內容十分豐富，將歷史、天文、地理、道德等方面的知識和大量典故融匯串連在一起，堪稱是一部極簡版的中國文化「小百科全書」，因此有「熟讀《三字經》，可知千古事」的說法。《三字經》從誕生之日起就大受歡迎，廣爲流傳，與《百家姓》《千字文》並稱中國傳統蒙學三大讀物。讀《三字經》可以發現，書中不但歸納總結了許多古代的文化常識，還告訴人們應當勤學好問、尊師重道、謙恭禮讓等人生的道理，體現了積極向上的精神，雖已暢行千百年，卻歷久彌新，在當今時代仍然具備知識性和實用性的國學入門的作用，可以給人們以簡易的知識和正向的力量。

《傳習錄》

曾有人給出過這樣的評價，中華上下五千年，能「立德、立功、立言」三不朽的聖人，祇有兩個半：孔子、王陽明，曾國藩祇算半個。孔子，至聖先師，無人不知；曾國藩，湘軍首領，中興名臣。而王陽明，最讓人熟悉的莫過於「知行合一」「心外無物」的「陽明心學」了。想要瞭解孔子，可以讀《論語》；想要瞭解曾國藩，可以讀《曾國藩家書》；想要瞭解王陽明，自然要讀《傳習錄》。《傳習錄》之名取自《論語》中曾子的話：「吾日三省吾身，爲人謀而不忠乎？與朋友交而不信乎？傳不習乎？」由此可見，想要讀懂《傳習錄》，需要具備一定的儒學經典的基礎。作爲儒家作品，《傳習錄》的核心自然也是明德至善，知行一體。而王陽明所提出的「知行合一」則是強調了要知善同時行動，即理論與實際的踐行。因此，讀《傳習錄》，能夠得到的最大收穫就是在日常的工作生活裏，摒棄外界的干擾，修養自己的良知，做到問心無愧，持之以恒。曾經做過三家世界五百強CEO的日本企業家稻盛和夫，就將陽明心學內化爲企業經營之道。

《了凡四訓》

命運是一個很神奇的東西。有的人認爲「命由天定」，但也有人堅信「我命由我不由天」。明朝學者袁了凡十七歲時因爲一位算命先生的話而深陷「宿命論」，直到三十七歲時在雲谷禪師的開導下醍醐灌頂、頓悟至理，確定了「命由我作，福自己求」的立命之道。此後數十年，袁了凡堅持行善、積極進取，最終「逆天改命」。「父母之愛子，則爲之計深遠」的舐犢之情，晚年的袁了凡有感於自己一生的經歷，給兒子寫下了《了凡四訓》。全書通過立命之學、改過之法、積善之方、謙德之效四個部分，講述了如何依靠後天努力來「修福改命」。晚清名臣曾國藩對《了凡四訓》極爲推崇，他讀過之後給自己改號爲「滌生」，並說：「滌者，取滌其舊染之污也；生者，取明袁了凡之言，『從前種種，譬如昨日死；從後種種，譬如今日生也。』」讀《了凡四訓》，讓你領悟命運眞相，明辨善惡標準，堪稱人生必讀的智慧之書。

《紅樓夢圖詠》

相信讀過《紅樓夢》的人，一定都會被書中那些性格鮮明、栩栩如生的人物所打動，甚至對他們傾注或愛或憎的情感，大有恨不相識的遺憾。或許你會想，這些人物應該是怎樣的形象，比如什麼是「似蹙非蹙罥煙眉」，怎樣算「似喜非喜含情目」，「唇不點而紅，眉不畫而翠」會是什麼樣的美。那麼，有沒有人根據原著的描寫，捕捉人物的特點從而描繪出他們具體的形象呢？當然，爲《紅樓夢》創作的繪畫作品其實有很多，其中的《紅樓夢圖詠》是紅樓繪畫史上水平較高、名氣也較大的一部。這是一部木版畫集，共繪製了通靈寶玉、絳珠仙草、警幻仙子、寶玉、黛玉、寶釵、元春、探春、湘雲、妙玉、王熙鳳等共約五十幅插圖，以高超的版畫技藝，展現出畫作者改琦作品的神韻，所繪形象傳神，線條流暢。如其中黛玉一幅，便以弱不禁風的身姿，刻畫出人物「閑靜時如姣花照水，行動處似弱柳扶風」的氣質。

《芥子園畫譜精品集》

顧愷之、吴道子、張擇端、唐伯虎、齊白石等畫壇巨匠，留下了大量傳世名作。他們無不技藝精湛，卻也都是從零基礎開始學習的。每個人的學習途徑或許不同，如果有一套人人都能看懂的簡明教程，國畫技藝就會更容易讓普通人掌握。比如齊白石大師，原本是雕花木匠，二十歲那年在僱主家無意間看到一本叫《芥子園畫譜》的書，覺得書中循序漸進的講解非常實用，讀過一遍就對繪畫有了一定的理解。所以，即使說白石老人的繪畫藝術之路最初起步於此書，也並不爲過。此外，任伯年、黄賓虹、傅抱石等繪畫大家也曾用心研習此書。「芥子園」是清初名士李漁（號笠翁）在金陵的別墅，《芥子園畫譜》最初就是在李漁的主持下，由王概、王蓍、王臬三兄弟編繪而成的。本書具有完備的體例，對用筆、寫形、佈局等繪畫的基礎技法做了詳盡的講解和展示，解析了歷代名家的特點，匯集了前人的畫論精華，從問世至今，一直是學習國畫的必修教材。

《中國京劇經典臉譜》

「臉譜化」這個詞，現在一般用來批評藝術作品塑造人物簡單化和概念化。然而與此相反，這恰是「臉譜」這一藝術形式的優點，使其能夠貼合傳統戲曲的表現方式。臉譜，是中國戲曲中特有的化妝藝術，通過按照一定譜式勾畫出的圖案造型來突出角色的性格、身份、年齡、品質等特徵，已形成一些相對固定的代表性顏色，如紅色的代表忠勇、正直；黑色的代表勇猛、直爽；白色的代表奸詐、狠毒；藍色的代表剛強，驍勇；黄色的代表凶暴、沉著，這與歌曲《說唱臉譜》的詞很一致：「藍臉的竇爾敦盜御馬，紅臉的關公戰長沙，黄臉的典韋、白臉的曹操，黑臉的張飛叫喳喳。」因此，臉譜具有「辨忠奸、寓褒貶、別善惡」的功能。《中國京劇經典臉譜》一書收錄的臉譜作品，是在漫長的歲月中逐漸演變、完善進而固定的藝術形象，每一幅都構圖精巧，色彩絢麗，筆法細膩，是不可多得的藝術珍品。

創作者孫世良先生是中國著名京劇劇作家、京劇臉譜藝術家翁偶虹先生的再傳弟子，北京市非物質文化遺產傳承人，就職於國家京劇院藝術中心，爲專業京劇臉譜畫家。

集

《楚辭》

《楚辭》的語言文字可以美到什麼程度？光是書中「茂行」「陸離」「微歌」「嘉月」這類典雅的人名，就足已令人驚艷了。《楚辭》的夢幻世界可以有多浪漫？有青衣白裳、箭指西北的東君，他是掌管太陽的神；還有與日月齊光的雲中君，他是飄渺的雲神。衆神都有人的情感，或泛舟江上，或歡聚宴飲，或幽怨哀傷。楚辭的產生，離不開楚國從「荊蠻」發展到「楚霸」的歷史條件，長江流域的巫覡文化，與中原地區的禮樂文化相交融，就有了生機勃勃的楚文化。《楚辭》是中國文學史上第一部浪漫主義的詩歌總集，獨創一體，別具一格。全書以屈原的辭賦爲主，其餘各篇承襲屈原作品的形式，運用楚地的文學樣式、方言聲韻，故名《楚辭》。梁啟超說：「吾以爲凡爲中國人者，須獲有欣賞《楚辭》之能力，乃爲不虛生此國。」《楚辭》展現了以屈原爲代表的愛國精神、豪邁氣魄和浪漫情懷，因此熟讀《楚辭》，能培養書生狹氣，能讓我們一生受益。

《唐詩三百首》

璀璨大唐三百年，最具代表性的事物是什麼？是天可汗唐太宗李世民？是中華文明的巔峰開元盛世？還是一代女皇武則天？都不是，最能代表璀璨大唐的事物就是唐詩。在唐詩中你能感受到大唐盛世兼容並包的絕代風華，那裏有王勃從容浩蕩的英氣，有李白綉口吐出的巍峨之氣，有李賀苦吟的不羈之氣。在唐詩中你能領略到大唐的厚重，大唐的筋骨，那裏有杜甫的低沉恢弘之氣，有樂天自在的千百鮮明之氣，有邊塞狂歌的狷狂凜冽之氣。聞一多先生認爲：「一般人愛說唐詩，我卻要講『詩唐』，『詩唐』者，詩的唐朝也，懂得了詩的唐朝，纔能欣賞唐朝的詩。」在唐詩中感受大唐，以詩教來熏習和浸染，觸摸到文化的江山，讓胸懷變得更寬廣更博大。不讀唐詩，無法面對優秀的古人，不知道東方情感之由來，亦不能精準表達自己的情感。

《宋詞三百首》

形成於唐，盛極於宋，前與唐詩爭奇，後與元曲鬥艷，是宋代文學最有代表性的成就，這種文體就是「宋詞」。可以說，有一定文化基礎的中國人都知道宋詞，也都可以不經意間脫口而出一二佳篇名句。如充滿豪情時，可以說「想當年，金戈鐵馬，氣吞萬里如虎」；心懷憂愁時，可以說「這次第，怎一個愁字了得」；陷入相思時，可以說「酒入愁腸，化作相思淚」。似乎每一種情緒，在宋詞中都已經有了完美的表達。如何更好地領略宋詞的精彩？《全宋詞》中收錄了一千三百餘位詞人的作品近兩萬餘首。顯然，通讀這麼多的作品並不現實，那麼優秀的選本便會大受歡迎。《宋詞三百首》就是這樣的選本。三百首不多，可以很快通讀；三百首不少，可以兼收各個時期、各個派別的眾多名家名作。這本《宋詞三百首》，囊括宋詞精華，讀後可以感悟宋詞之美，並初步瞭解宋詞的概況；所選皆爲名篇，便於背誦，有助於古典文學修養的提高，使自己不論言談還是寫作都更有氣質。

《唐宋八大家集》

提起「唐宋八大家」，很多人會問：「爲什麼没有李白、杜甫、白居易？爲什麼没有柳永、陸游、辛棄疾？」因爲這八個人代表了唐宋時期散文的最高水準，而非詩詞。我們都知道，唐朝是詩歌的黄金年代，而没有體裁和題材方面的創新，就不會湧現出那麼多不朽的傑作。白居易提出「文章合爲時而著，歌詩合爲事而作」的口號，倡導「新樂府運動」。與之相呼應的正是韓愈、柳宗元倡導的「古文運動」，他們同樣強調寫文章要言之有物。「言之有物」看似容易，我們上學時，語文老師講作文的時候就一再強調這一點，可是文筆不好就詞不達意，文筆太好又總是變著法地運用修辭，引用典故，堆砌辭藻，顧此失彼，文章難免會「金玉其外，敗絮其中」。「唐宋八大家」的文章，推崇先秦諸子和《史記》《漢書》，一掃六朝辭賦的艷俗與空洞，衝破四六駢偶的程式

和窠臼，文章形式雖然復古，但是內容推陳出新，很接地氣，是老百姓讀得懂的古文，完美展現了中華文化的「文質彬彬」。這八位文曲星就是：韓愈、柳宗元、歐陽修、王安石、蘇洵、蘇軾、蘇轍、曾鞏，他們都有驚天地、泣鬼神的千古文章傳世。

《小窗幽記》

互聯時代來臨，世人莫不在加快節奏追逐社會步伐，關於生活的本真、人生的目的，人們實在難以顧及。有一部書，用它雋永的文思、淡雅的文字，指引你爲人處世，開導你在平淡中領略人生，它就是《小窗幽記》。「花繁柳密處，撥得開，纔是手段；風狂雨急時，立得定，方見脚根」，這是勸誡成功者的良藥，「情最難久，故多情人必至寡情。性自有常，故任性人終不失性」，這是冷靜處事的心思。「興來醉倒落花前，天地即爲衾枕；機息忘懷磐石上，古今盡屬蜉蝣」，這是過來人燈火闌珊處的回眸。明代陳繼儒以其豐富的經歷、遠博的思想、高峻的修養撰得《小窗幽記》這部奇書，將修身、立德、爲學、致仕、立業、治家、養生的全部智慧和原則融入此書，文字跳脫愜意，格調超

拔，以小喻大，充滿了諧趣與真知。面對人生，作者給出的答案還將久久的流傳下去，那就是「時光，濃淡相宜；人心，遠近相安；流年，長短皆逝；浮生，往來皆客。」

《納蘭詞》

他是文武俱佳的翩翩公子，他是康熙皇帝御下一等侍衛，他是才華橫溢的傷心詞人。他，就是「清詞三大家」之一的納蘭性德。納蘭文武兼修，十七歲入國子監，十八歲考中舉人，二十二歲康熙賜進士出身。深受康熙帝賞識，多隨駕出巡。三十一歲英年早逝。納蘭性德二十四歲時將詞作編選成集，名爲《側帽集》，又著《飲水詞》。後人將兩部詞集增遺補缺，共三百四十九首，合爲《納蘭詞》。「今古河山無定據。畫角聲中，牧馬頻來去」是對山河流逝的慨嘆；「山一程，水一程，身向榆關那畔行，夜深千帳燈」是長途行軍中軍士的苦悶；「被酒莫驚春睡重，賭書消得潑茶香，當時衹道是尋常」是失去妻子的丈夫回憶與亡妻昔日美好的酸楚；「西風多少恨，吹不散眉彎」展現的是深情男子的無盡哀思。

儘管清詞成就比不上宋詞，但也在文學史上留下了自己獨特的印記。清詞代表《納蘭詞》，不僅在清代詞壇享有很高的聲譽，而且在中國文學史上也佔有光彩奪目的一席。翻開《納蘭詞》，走近這位傳奇男子的一生，去體味，去發現，清詞怎一個「真」字了得？

《曾國藩家書》

有學者說：「五百年來，能把學問在事業上表現出來的，衹有兩人：一爲明朝的王守仁，一則清朝的曾國藩。」曾國藩作爲集政治家、戰略家、理學家、文學家、書法家等於一身的晚清名臣，因官居高位而無暇著書立說。不過，他寫給家人的大量家書，就成爲瞭解曾國藩的第一手資料，同時也是瞭解清末社會狀況的寶貴史料。家書，即家人之間來往的書信。在古代，家書是離家在外的人與家中親人的主要聯繫方式之一。家書可簡可繁，可以衹表達思念及關切之情，也可以暢敘經歷及感觸，通常都很真實，沒有虛假客套。《曾國藩家書》中收錄了曾國藩寫給祖父、父母、叔父、兄弟、子女等不同人的書信，其政治理念、治軍思想、治學修身、治家教子、處世交友等也都在其中得到了充分的體現。這些内容使這部《曾國藩家書》除了具備史料價值，還是一部生活處世的實用寶典，對我們的日常生活也有可資借鑒的意義和價值。

《人間詞話》

「最是人間留不住，朱顔辭鏡花辭樹。」作爲民國時期最爲著名的國學大師之一，能夠寫出這樣優美的詞句，對王國維來説實在不算稀奇；相較於他的詞作，《人間詞話》纔是真正讓他在廣大文藝青年心中「封神」的傑作。就算是没有看過《人間詞話》的人，也能隨口説出「古今之成大事業、大學問者，必經過三種之境界」。作爲中國文藝理論里程碑式的作品，《人間詞話》首次將西方美學思想融入到中國古典詩詞的點評中，你能想象，這樣一本薄薄的小冊子竟然蘊含著康德、叔本華的整套美學體系？更爲重要的是，在這本書中，王國維融會貫通，提出並建立了獨特的文藝理論體系，並成功勾起了廣大文藝愛好者們對於古典詩詞的興趣，很多人就是從這本書開始，成爲文學家、學者和文藝批評家的。如果你也對古典文學特别是古典詩詞感興趣，那麼一定要讀一讀這本《人間詞話》。

處，那麼一定要讀一讀這本《人間詞話》。

文學家、學者和文藝批評家的。如果你也對古典文學特別是古典詩詞感興

「廣大文藝愛好者們對於古典詩詞的興趣，很多人就是從這本書開始，成為

本書中，王國維融會貫通，提出並建立一種新的文藝理論體系，並成功地將起

傳統的小冊子竟然融合著康德、叔本華等的美學體系。更為重要的是，在這

首次將西方美學思想融入到中國古典詩詞的點評中。你能想象，這樣一本薄

者，必經過三種之境界」。作為中國文藝理論里程碑式的作品，《人間詞話》

算是沒有看過《人間詞話》的人，也能隨口說出「古今之成大事業、大學問

詞作。《人間詞話》讓是真正讓今在廣大文藝青年心中「封神」的傑作。就

之「，能夠寫出這樣優美的詞句，其王國維研究實在不算稀奇。相較於他的

「身是人間留不住，朱顏辭鏡花辭樹。」作為民國時期最為著名的國學大師

《人間詞話》

部生活處處都能應用實典，對我們的日常生活也有著可借鑒的意義和價值。

之一，有分量的鑒賞。這是古今學者書寫《國學叢書》中一本具有文學價值，還是一

圖書在版編目（CIP）數據

宋詞三百首 /（清）上彊村民編選 ；崇賢書院釋譯. -- 北京 ：北京聯合出版公司，2015.8（2022.5重印）
（書香傳家 / 李克主編）
ISBN 978-7-5502-5747-4

Ⅰ. ①宋… Ⅱ. ①上… ②崇… Ⅲ. ①宋詞－選集②宋詞－注釋③宋詞－譯文 Ⅳ. ①I222.844

中國版本圖書館CIP數據核字(2015)第164696號

書名 宋詞三百首
著作者 （清）上彊村民 編選 崇賢書院 釋譯
出品人 趙紅仕
責任編輯 李徵
出版發行 北京聯合出版公司
地址 北京市西城區德外大街83號樓9層
郵編：100088
策劃經銷 近道堂
印刷 吴橋金鼎古籍印刷廠
字數 一百二十八千字
開本 宣紙八開
印張 十九點八七五
版次 二〇一五年八月第一版
二〇二二年五月第六次印刷
標準書號 ISBN 978-7-5502-5747-4
定價 肆佰捌拾圓整（一函兩册）